C000217644

José Cardoso Pires
O Burro-em-Pé

Contos

3.ª edição

Leya, SA
Rua Cidade de Córdova, n.º 2
2610-038 Alfragide • Portugal

Capa: Rui Belo/Silva!designers

Revisão: Clara Joana Vitorino
3.ª edição Publicações D. Quixote, 1.ª edição BIS: Julho de 2011
Paginação: Júlio de Carvalho, Artes Gráficas
Depósito legal n.º 316 850/10
Impresso e encadernado em Barcelona por BLACKPRINT, a cpi company

ISBN: 978-989-660-079-2

http://bisleya.blogs.sapo.pt

Índice

CONVERSA A VÁRIAS VOZES
numa casa de pasto do Poço do Bispo, Lisboa

– Jogo, quê? Mas alguma vez foi jogo, o burro-em--pé?

– Se serve para apostar é jogo.

– Mas quais apostar, quais joão! Com que ver, com que moral é que você ia apostar num jogo de crianças?

– Aí é que está.

– Além de que nunca foi jogo, caraças. Burro-em-pé nunca foi jogo.

– Nem burro. Burro-em-pé é palhaço.

– Bem visto.

– Não é vaza, não é bisca, não é coisa nenhuma.

– É roda de putos...

– É baralho no ar...

– ... Velhadas a zurrar.

– Velhadas, quê?

– Deixa dizer, pá. É cuspo, é dedo, reinação pra engonhar.

– É moinho de cartas, adivinha a feijões.

– Burro-em-pé é paciência...

– ... Debicar por debicar.

– É brinquedo...

– Entretém...

– ... Prò vôzinho e prà criança.

«Tem-se dado muita desgraça nas brincadeiras das crianças, sim senhor» – disse uma mulher que coçava a cabeça e comia carapaus, encostada ao balcão.

OS REIS-MANDADOS

Ia um trabalhador a caminho de casa quando à porta duma taberna lhe apareceu o sapateiro da rua a chamá-lo.

«Vizinho, eh, vizinho. Pode mandar buscar as suas botas que as acabei agora mesmo.»

«É já», disse o trabalhador, que ficou logo bem-disposto com a novidade. «Mas primeiro havemos de beber um copo para festejar.»

«Assente. Mande servir que eu vou num instante à loja buscar a encomenda.»

As botas não eram para ele, trabalhador. Tinha-as mandado fazer de bom cabedal, de macia capa de vaca, solas de pneu de automóvel e valentes costuras, com destino a um enteado que vivia na sua companhia.

«Cortei-as», explicou o sapateiro, «com a mesmíssima facilidade com que cortei o papel do molde. Nem um nervo, nem uma dobra maltratada. Não encontrei debaixo da faca a mínima coisa que se dissesse: é desperdício, desfeia a pele. E, vizinho, não há nada como as dobras e os olhais do couro para desfear uma peça. Não só a desfeiam como a tornam mais fraca, que é muitíssimo pior. À nossa saúde, vizinho.»

I. O trabalhador levou as botas novas para casa e mostrou-as à mulher.

«Homem», disse ela, com ar preocupado. «Ou me engano muito ou fizeste grosso erro nas medidas. Como queres tu que a criança se mexa com umas sapatorras deste tamanho?»

«O moço está na idade de crescer, foi de propósito. Em menos de um ano ficam-lhe justas.»

Estavam eles a apreciar as botas, chegou o hóspede da casa. Olhou e deu também o seu parecer:

«São grandes, são. Mas antes folgadas do que à justa. A comadre meta-lhe umas palmilhas de cartão e verá como ficam boas. Olá, forros de pele?»

«Forros de pele, pois então», confirmou o trabalhador; sorria para a mulher e para o hóspede, orgulhoso da sua compra. «Tudo de primeira. Nem um nervo, nem uma dobra a desfear o couro, que é o principal para que uma obra não fique fraca. E os acabamentos, já viu? Repare como estão metidos os pontos.»

«Cheiram a novas», disse do outro lado a mulher. «Há muita gente que não gosta, mas este cheiro a mim sabe-me bem. Lembra-me os domingos de festa, não sei...»

«O cheiro do cabedal», declarou o hóspede, baixinho.

E o dono da casa: «Principalmente, do cabedal talhado à mão. O que vem das fábricas é outra coisa, já não tem este cheiro.»

Apesar de ser Verão e no Verão anoitecer, como se sabe, devagar e muito tarde, os dois homens e a mulher que observavam as botas não se tinham lembrado de acender a luz. Não tinham possivelmente dado pela noite, pois estavam os três de pé, enfiados numa cave com porta para a calçada, mirando e remirando duas coisas pesadas e claras, dois vultos que na verdade eram botas mas que, com a morte do dia, se tinham transformado de formas em vultos e de vultos em simples manchas.

E, naturalmente, quanto mais avançava a escuridão mais os entretidos habitantes da cave chegavam as botas à cara para as poderem ver, decifrar e discutir, a ponto de mergulharem nelas, de lhes irem à alma (como diria um mestre do ofício) e de também já as não reconhecerem sequer como vultos mas como dois pedaços de cheiro – o cheiro que nelas vinha.

«Diga-se o que se disser, o que manda ainda é a qualidade do material», comentavam entre eles, farejando as botas. «Uma pele destas, tão macia e tão certinha, tanto pode ser ensebada como tingida.»

«Ensebada? Ensebada é que nunca, compadre. Ninguém vai aceitar para marçano um rapaz de botas ensebadas.»

«Pois tenho pena, comadre. Com sebo sempre duravam mais tempo.»

«Bom...», murmurou a voz do trabalhador dono da casa. «Se é certo que o sebo dá duração ao cabedal, também não é menos certo que há pele que passa muito bem sem ele. Esta, por exemplo.»

«Tudo vai do acabamento, também é certo», disse a voz do trabalhador hóspede.

«Nem mais. Obra bem acabada dispensa tinta, dispensa sebo, dispensa tudo. E não há dúvida que quem fez esta caprichou.»

«O vosso Janico fica aqui com calçado para a vida e para a morte.»

«O próprio sapateiro não esperava uma coisa assim. Disse-me ele que não encontrou um sinal de nervo em toda a peça. Nem uma dobra, quer melhor?»

«Caso raro. Lá na nossa terra, que é a nossa terra, a gente via-se e desejava-se para descobrir uma pele que não tivesse nós.»

A mulher, que se tinha sentado ao pé do fogareiro no fundo da casa, disse então que era por isso que toda a gente, lá na terra, esperava pelo São Bartolomeu para calçar a família. «Lembro-me muito bem, contávamos as semanas pelos dedos da mão e às vezes não chegavam as mãos. Em arreios e cabedais a feira de São Bartolomeu tinha fama.»

«Tinha e tem», completou a voz do hóspede. «Ainda o ano passado lá estive e encontrei tudo na mesma. O mesmo gado, as mesmas assaduras, a mesma romaria...»

«O mesmo cheiro?», perguntou a mulher do seu canto. «Quando eu era pequena conhecia aquela feira à distância pelo cheiro dos couros.»

«Os couros, comadre, têm o mesmo cheiro em todo o lado. São sola, cheiram a curtido.»

«Parece-lhe. Quando a gente apreçava uns sapatos no São Bartolomeu, não sei, era diferente.»

Do sítio onde estava, a mulher já não distinguia as botas ou as duas manchas que elas podiam ser pairando entre dois homens no escuro. Um pouco à distância, sentada ao fogareiro e de abano pousado no regaço, para ela as botas eram cheiro guardado, recordação. Talvez mais: infância, estevas em flor, invernias.

«Mulher», disse-lhe o marido. «Acende o candeeiro e chama o rapaz.»

E ela, muito pronta: «Janico. Ó Janico.»

Gritou mesmo dentro de casa, levantando-se num salto como quem acorda com a lembrança de um nome. Depois acendeu o candeeiro e veio para a rua.

Voltou-se para o norte: «Janico!»

Voltou-se para o sul: «Janico!»

Voltou-se para uma vizinha que vinha de buscar água ao chafariz e para um rapazola que passava devagarinho na lambreta: «Viram por aí o meu João?»

Ela a dizer isto e o filho a saltar-lhe debaixo das saias: «Senhora.»

Tocou-o para casa e mal passaram a porta acharam-se na presença duma mesa iluminada com as botas novas e uma lancheira de tábua. Sentado a uma ponta estava o padrasto, na outra o hóspede.

«Presta atenção», começou o dono da casa para o pequeno enteado. «Amanhã de manhãzinha a tua mãe há-de dar-te esta lancheira fornecida com farnel e estas botas para tu calçares.»

«Posso experimentá-las?»

«Não se interrompe quem fala», repreendeu o hóspede, baixinho.

«Leva estas botas», continuou o padrasto, «mas, muito tino, não as esfoles porque são para tingir.» (Olhou o hóspede.) «Ou para ensebar, ainda não decidi. Seja como for, vais de botas. Preparas-te muito bem preparado, penteias essa gaforina e logo no primeiro eléctrico da carreira metes em direcção aos Estoris. Faço-me compreender? Vais, toma sentido, procurar as praias e os cafés que nesta época do ano estão cheios de banhistas e de burgueses.»

Diante da mesa armada com as botas e a lancheira, mãe e filho escutavam de pé a palavra do marido-padrasto. Era, contra o costume, um discurso muito medido letra a letra e quer o dono da casa, quer o homem que o acompanhava tinham os olhos no pequeno Janico. Ambos, de guarda à mesa, estavam de costas para a noite.

Claro que, lá fora, a calçada devia andar cheia de vozes que voltavam do trabalho. Mas se andava não se ouviam, ou então tinham-se calado perante aquele marido-padrasto que falava de costas para a noite. Dizia ele:

«De sorte que bates os cafés e as esplanadas porque aí é que está a clientela de gorjeta. Primeiro os cafés e as esplanadas, estás a ouvir bem? Inclina-te para as casas grandes, estabelecimentos de boas portas, porque aí, além da gorjeta, sobe-se. Mas para subir, muito tino e apresentação. E agora, rapaz, vê o que fazes. O necessário já tu tens. Levas a cédula onde está escrita a tua idade no caso de te acharem pequeno de mais, e quanto a habilitações, já sabes, nunca digas que não tens o exame.»

Neste ponto a mulher lembrou-se da cédula: «Cabeça a minha, que não sei onde a meti. Guardaste-la tu?»
«Comadre...», segredou o hóspede.
O dono da casa levantou a voz:
«Tomaram muitos», disse ele, continuando, «tomaram muitos com a quarta classe saberem o que tu sabes de contas e de leitura. Por aí estou descansado. Há também a questão do ordenado, mas nisso do ordenado» (tornou a olhar o hóspede) «fala-se depois. É assunto para eu tratar. E acho que, tal e tal, está tudo.»
«Fiador...», lembrou o outro homem.
«Fiador?»
«Claro. Há casas que exigem fiador.»
«Se exigirem logo se vê. Mas para agora o rapaz já conhece o principal. Juízo é que ele precisa de ter naquela cabeça. E nunca te esqueças, rapaz, as esplanadas primeiro que tudo. Nada de espertalhices e muito menos de te pores a falar em escola nocturna, que isso então era a desgraça. Os patrões estão-se trabalhando para a escola dos outros. Metem um marçano, sim senhor, mas querem-no à disposição a qualquer hora. Fiz-me compreender?»
«Sim, padrinho.»
Então o padrasto, dono da casa, acendeu vagarosamente um cigarro, puxou-lhe uma fumaça longa e mediu o enteado dos pés à cabeça: «Sabes portanto», disse, «sabes perfeitissimamente o que tens a fazer. É ou não é verdade?»
Resposta do pequeno:
«É, sim, padrinho.»

II. Logo de madrugada, noite ainda, a bem dizer, o moço Janico partiu à aventura. A mãe, em chinelas e cabelo pelas costas, veio acompanhá-lo até ao cimo da calçada e isso deu-lhe grande contentamento porque só uma vez, uma só, ela tinha feito a mesma despedida ao marido-padrasto. Sim, mas com o homem dela foi mais adiante, pensou o rapaz. Acompanhou-o pelo menos até à esquadra da polícia e talvez mesmo até à estação dos eléctricos. Estação dos eléctricos?, perguntou João Janico a si próprio. Tão longe? Já distante da casa e da mãe levava ainda na lembrança a cerimónia da subida nocturna que tinha feito com ela, rumo à cidade.

A partir daí viajou entre operários, seus iguais, num eléctrico de sono e de campainhas. Atravessou o escuro e as meias cinzas da noite até que, de surpresa, o sol veio-o apanhar numa longa avenida, quando deslizava ao correr de uma praia deserta.

«Que terra é esta, faz favor?»

O revisor respondeu que era Algés, onde os banhistas são pobres e na maioria domingueiros.

«E esta agora?», perguntou mais adiante.

«Esta agora é Cruz Quebrada, fim da minha viagem e entroncamento para a tua. Se queres alcançar Cascais ou qualquer das praias nobres tens de apanhar o autocarro ou seguir por estrada. Nem para a direita nem para a esquerda, sempre em frente. A não ser que vás de comboio, que é seguro e mais certeiro. Escolhe.»

«Escolho o comboio», disse o rapaz.

«Que bilhete?»

«Qualquer, desde que não seja no rápido porque é mais caro.»

O revisor deu-lhe uma palmadinha no ombro:

«Vejo que és esperto. Podes ir que não te perdes.»

Foi. Lancheira na mão, botas de sete léguas, calça comprida e pente no bolso, João Janico (Perninhas de Lebre, Orelhas em Bico) viu-se levado pela margem do mar e num abrir e fechar de olhos encontrou-se no meio de um jardim com muitas lojas a toda a volta. Era o comércio à espera dele; só que ainda estava por abrir àquela hora da manhã.

Descobriu luz numa porta, bateu. Apareceu-lhe uma menina, muito bela e desdenhosa, envolvida em perfumes e cristais.

«Não precisa de um rapaz para as voltas e recados?»

«Rapaz? Aqui é um salão de beleza, experimenta a porta ao lado.»

Passou à outra: ninguém. Depois à outra e à outra.

«Não precisa dum rapaz para as voltas e recados?»

«Volta mais logo. O patrão ainda não chegou.»

João Janico pôs-se então a fazer horas, sentado no jardim. Pela frente dele passavam automóveis a brilhar, corredores de linda estampa, muito airosos na manhã; e no mar, tocados pelo vento, barcos.

Pôs-se a contar os carros. Resolveu que se nos dez primeiros aparecesse um encarnado era sinal de que arranjaria emprego nessa manhã. Contou e perdeu. Contou outros dez, ganhou. Assim não valia, se tivesse acertado logo à primeira é que sim – foi a conclusão a que chegou. Sabia que tinha apostado numa cor difícil mas preferia assim, visto que na sua pouca idade já aprendera que quanto mais arriscada é a prova da sorte mais seguro é o resultado. Escolher, por exemplo, um carro preto nunca seria habilidade, não poderia sequer considerar-se uma pergunta ao destino. A sorte talvez até se ofendesse com a esperteza, pensava ele.

Neste jogo de cor e destino, foram-se abrindo as lojas e foi-se afirmando o sol. Janico pegou no pente e num pedacinho de espelho que tinha com ele e ajeitou o cabelo.

«Rapaz para as voltas e recados, é preciso?»

E das lojas respondiam:

«Estamos servidos, pequeno.» Ou: «Volta mais tarde.» Ou ainda: «Deixa-nos o nome, nós te chamaremos.»

À hora do meio-dia tinha os pés em labareda dentro das pesadas botas. A garganta ardia-lhe de secura e como por ali só havia ruas de alcatrão abertas ao sol a pino, caminhava com dificuldade, preso ao calor da terra.

«Água», suspirou. «Quem me dera aqui um chafariz.»

«Tens bom remédio», aconselhou uma voz dentro dele. «Vai às esplanadas sobre o mar e não te faltará quem te mate a sede.»

Assim foi. João Janico, sempre a palmilhar calor e asfalto, chegou a uma estalagem à beira do mar, onde começavam as barracas e os restaurantes dos banhistas. Pedia água ou pedia trabalho?

Pediu água, dois copos de enfiada. Depois perguntou que estrada era aquela que ali via, onde levava e qual o seu nome.

«Estrada do Verão e dos turistas», responderam-lhe. «Para cima leva ao Casino e ao jogo, para baixo vai a Lisboa. O seu nome é Marginal. Estás satisfeito?»

Agradeceu e saiu. Tão pesado se sentia, tão consolado também, que se descalçou. O mar chamava-o com a sua frescura, sua doce solidão, e o pequeno caminhante não soube resistir. Correu para ele, de braços abertos, levando pelo ar a lancheira e as botas: «Ala-ala-ala!» Gritava e saltava atravessando a areia a escaldar e só parou quando a espuma das ondas lhe veio beijar os pés, muito maneirinha. Então foi tal o alívio que se sentiu leve, leve, e muito longe do mundo das casas e das pessoas. Era todo luz e água a rebrilhar; dali em diante havia de lhe custar a esquecer aquele mar e principalmente o modo leal como o tinha recebido. Se eu tivesse um barquinho vivia aqui toda a minha vida, pensou.

Seguiu ao longo da praia, sempre pela areia molhada, sempre parceiro do mar. Andou, andou, e ao cabo de muito andar sentou-se à sombra de uma muralha. Escolheu o sítio com cuidado, de forma a evitar que os limos ou as algas lhe pusessem manchas nas calças. Em seguida tirou o farnel que vinha na lancheira e que era pão, arroz e dois carapaus. Comeu.

Enquanto comia pôs-se a observar a lancheira fabricada pelo padrasto com finas tábuas aplainadas e cantos de folha batida. Isso e as calças molhadas, apesar de as ter arregaçado, lembravam-lhe a família e a sua obrigação de pequeno trabalhador, marçano ou moço para voltas e recados. Contava com o tempo do almoço para secar a roupa e com a tarde para descobrir um patrão que o recebesse. Com a tarde, pois: sempre tinha ouvido dizer que os patrões ricos ficam na cama até ao meio-dia e as praias dos banhistas estavam lá longe, eram um formigueiro de gente.

À volta dele saltavam as humildes pulgas-do-mar que, na sua maneira de ver, eram bichos de alto mistério. Pareciam-se com camarões de leite ou filhos de camarões acabados de sair do ovo. Não achava impossível que assim fosse, visto que nas *Aventuras do Capitão Morgan* as tartarugas vinham desovar às praias desertas e como elas tantos outros animais do mar que começam do nada e crescem muito com o tempo. Estas pulgas-pulguinhas podiam muito bem ser os camarões de amanhã e os camarões, por sua vez, talvez fossem lagostins de pouca idade.

E os lagostins?, perguntou. – Os lagostins, lagostas de pouca idade.

E os caranguejos? – Santolas de pouca idade.

E os carapaus? E os cações? – Chicharros de pouca idade, tubarões de pouca idade.

E as baleias? Ui, suspirou. As baleias! Essas são velhas, têm cidades na barriga. São os maiores animais, são os bichos de maior idade que há no mar. Algumas quando morrem ficam à superfície e transformam-se em ilhas onde as pessoas plantam palmeiras e fazem cabanas. Verdade?, perguntou João Janico sem saber se tinha lido isto em qualquer parte.

Arrumou a lancheira e preparou-se para partir. Se fosse um verdadeiro operário teria fumado o seu cigarro e dormido a sua sesta. Mas era um marçano e os marçanos querem-se à disposição dos patrões a todas as horas para o que for necessário. Faço-me compreender?, lembrou-lhe a voz do padrasto.

III. João Janico, Perninhas de Lebre, Orelhas em Bico, seguiu viagem até às esplanadas das praias e às vilas dos banhistas. Correu as portas principais, numas disseram-lhe que voltasse, noutras que desistisse. Procurou comércio pobre, simples tabernas de estrada ou mercearias dum só dono: a mesma coisa. Não queriam, estavam servidos.

Desiludido e, para mais, com os pés roídos pelas botas, começou a caminhada para casa. Tinha-se afastado do mar e do comboio na ânsia de encontrar dono e pão, e agora, morto de cansaço, seguia a passos curtos – de velho, não de criança – amparado aos muros e às coisas. É certo que fez parte do caminho a pé descalço, mas sempre que passava pelas lojas temia ser apanhado naquela triste figura. Com muito sacrifício lá tornava a enfiar as botifarras e por vezes puxava mesmo do caco do espelho e ajeitava o cabelo com o pente.

Para se animar contava os passos, dizia, suponhamos, «vinte até aquele candeeiro» e chegado lá marcava mais vinte para depois descansar um bocadinho. A seguir apontava outros tantos e mais outros e assim sucessivamente.

Neste caminhar foi ter a uma rua coberta de tílias, toda bordada de palácios. Rua fresca e sossegada, sem comércio nem movimento: só flores e grades, e criadas fardadas.

Chegou e deixou-se escorregar por uma parede até ficar sentado no passeio. Tirou as botas: quentes por dentro como duas fornalhas. Apalpou os pés: estavam em bolha, cortados de suor. Perguntava a si mesmo quantos anos teria de usar aquelas botas até se lhe ajustarem ao pé ou pelo menos até se tornarem dóceis e poder orgulhar-se delas. Olhava-as sem rancor, com tristeza apenas porque, embora de sete léguas ou mais, tinham a sedução das coisas novas. Perguntava, por outro lado, se porventura seria uso dos patrões fornecerem calçado próprio aos marçanos e se no dia seguinte, e no outro, e no outro, teria de procurar trabalho da mesma maneira, com aquelas botas.

Ao cair da tarde, quando estava ainda sentado na companhia das botas a receber a paz e a aragem que subia do mar, apareceram uns rapazitos a correr ao Rei-Mandado. Ia o Rei à frente e coisa que ele fizesse teria de ser repetida pelos moços que vinham atrás.

«Rei mandado... Um!»

«Rei mandado... Dois!»

«Rei mandado... Três!»

Rei-Um saltou e os outros saltaram também; Rei-Um apanhou um galho de trepadeira e os outros quebraram também o seu galho; Rei-Um passou pelo rapaz sentado e deu-lhe uma palmada na lancheira.

O Janico pôs-se logo de pé, contra a parede; em menos de nada tinha calçado as botas e estava em guarda. Sabia que pelas regras do Rei-Mandado cada qual tinha de dar também a sua palmada na lancheira e por isso a agarrava com decisão, pronto a responder ao ataque. «Experimentem», ameaçava.

Os outros andavam de largo, fingindo que brincavam entre si mas com o olho nele. A pouco e pouco iam-se chegando, fazendo fintas para lhe estudarem as respostas e o moço percebeu que estavam a perder-lhe o medo. Às vezes vinham de corrida e quase que lhe passavam ao alcance do braço mas Janico bem via que o que eles queriam era arrancá-lo da parede para o rodearem à vontade. Queriam, calculou então, chamá-lo para campo aberto onde o pudessem atacar por todos os lados.

«Experimentem, vá...»

Rei-Um vigiava. Eis senão quando vem de lá um mais atrevido, faz uma curva de andorinha a rasar o muro, e escapa-se. Janico esbracejou para se defender mas neste esbracejar tropeçou nas botas, perdeu o pé e do outro lado veio logo um moço que lhe atirou um encontrão e, zás!, palmada na lancheira. Zás! passou outro a seguir; e, zás!, o outro. Quando deu por si, João Janico estava caído no passeio a chorar.

Uma vez que tinham cumprido a obrigação do jogo, os reis-mandados desapareceram na primeira esquina, numa algazarra de triunfadores. «Lá vai rei-mandado, Um... Lá vai rei-mandado, Dois...» e a rua das tílias voltou ao sossego. Mas, como diz o outro, a curiosidade é irmã da má consciência tanto nos pequenos como nos adultos; razão por que daí a nada os três diabelhos estavam de volta. Encontraram João Janico lavado em lágrimas, a arrumar as coisas na lancheira. Não os olhou nem os temeu, queixava-se apenas sozinho:

«Borregos, filhos dum cabrão.»

Rei-Um, que vinha à frente, acercou-se com bons modos:

«Partiste alguma coisa?»

Continuava a arrumar. Não respondeu nem o insultou porque havia nesse chefe dos reis-mandados uma certa tranquilidade muito própria dos jogadores que obedecem a leis, por mais duras que elas sejam, e que depois disso voltam a ser pessoas naturais, sem ofensa nem rancor. Vieram os outros dois, de mão estendida para o levantar. Recusou. Estava ofendido e, mais do que ofendido, cansado.

Em vistas disso, os reis-mandados sentaram-se junto dele, no passeio. Ofereceram-lhe cigarros que o moço, bem entendido, também não aceitou, virando a cara para o lado. Paciência, fumavam eles. E depois, cada um na sua baforada, explicaram-se. Começaram por declarar que brincavam aos reis-mandados e, como tal, tinham cumprido o dever de tocar-lhe na lancheira, mais nada.

«Quando reinas ao Rei-Mandado não fazes o mesmo?»

Janico, olhos no chão, acenou com a cabeça: fazia. Sendo assim, o culpado, se havia ali culpado, era o chefe, Rei-Um, que tinha escolhido a lancheira para prova do seu poder. Mas nem isso seria justo levar-lhe a mal porque no Rei-Mandado os bons chefes conhecem-se pelas partes novas que inventam e principalmente pelos desafios difíceis que lançam à sua corte. O mau chefe, o medroso, só manda dar berros e coisas assim; este lembrou-se da lancheira, que se havia de fazer?

«Pela saúde da minha mãe se eu contava que tu caísses», disse um dos rapazitos.

«E eu? Mal lhe toquei», disse o outro.

E Janico, tristemente:

«Bem sei, foram as botas.»

Conversa puxa conversa, às tantas já estavam na boa companhia, falando de lutas e de namoradas. Sobretudo das namoradas nas férias dos banhos que é a estação em que elas andavam loucas com o calor. «Nessas alturas», contou o Rei-Um, «o meu irmão mais velho diz que se passam coisas aqui que não se passam em parte nenhuma do mundo.»

Janico, tristemente, fez que sim com a cabeça.

«Quantos anos tem ele?», perguntou, baixinho.

«O meu irmão? Vinte e um.»

«Dezoito», emendou outro rei-mandado. «Vinte e um tem o meu primo que já foi à tropa.»

Segue-se que conversando e passando cigarros debaixo das tílias nunca mais sairiam dali se não fosse o rapaz ter-se lembrado da mãe e do padrasto e da viagem que tinha de fazer até casa. Aí levantou-se. Os outros acompanharam-no até ao comboio, que ficava mais perto do que ele julgava, pelo caminho que seguiam. O pior é que, mesmo perto, os pés de Janico não aguentavam, ardiam-lhe.

«As botas», explicava ele. «Estas malditas botas.»

«Despacha-as, pá. Um gajo com umas faluas dessas não pode prestar para nada.»

O rapaz sacudia a cabeça, calado. No íntimo concordava com o que ouvia mas não se achava com coragem para contar a razão por que tinha de seguir assim, tão torturado. Devagar, a muito custo, venceu travessas sombrias com candeeiros a balouçar na ramagem das árvores e de repente desembocou num parque iluminado.

«Conheço este jardim», disse de si para si, o que era muito natural porque se tratava do lugar onde tinha estado nessa manhã. Começava já a ver a estrada que corria ao longo da costa, e sentia-se rodeado de gente e de comércio principal numa alegria de luzes. Somente, ia de cabeça caída. Atravessava o Verão e a noite perfumada, entre três reis-mandados e ia de cabeça caída, sem voz.

Quando entrou no comboio pôs-se logo a tirar as botas, mas o revisor não deixou. «Proibido», disse. Obedeceu e voltou-se todo para a janela por onde começaram a passar apeadeiros e noite, noite e casas, noite e mar. Mas, voltado para a janela, não era isso que via, não era o mundo em viagem que a sua vista encontrava. Via só, espelhado na vidraça, o rosto dele a olhá-lo com grande seriedade. A olhá-lo, a olhá-lo.

«Janico, rei-mandado», disse baixinho para esse rosto. «João Janico», repetiu em voz meiga. E sorriu-lhe.

Janeiro de 1960

O CONTO DOS CHINESES

Na arrecadação das obras havia um telheiro e no telheiro um homem sentado à sombra, a comer. Esse homem, embora trabalhasse há muitos anos na cidade e a tivesse ajudado a construir, era no fundo um camponês. Tinha a pele escura dos cavadores de sol a sol e, como veremos, a voz demorada de quem foi criado longe de máquinas e confusões.

Estava ele sentado a mastigar, e a uma boa distância do barracão as filhas saltavam à corda. Eram duas, a mais velha e a mais nova. Assim como o homem vestia de lavado, gravata e relógio com fita de nastro, assim as crianças brincavam muito compostas, laço no cabelo, meias esticadas, porque era domingo e, além de domingo, festa de São João.

O homem via-as? Naquele momento não. Naquele momento estava só voltado para o horizonte da cidade, prédios ao alto, janelas no céu, e lá algures andava o pessoal da obra, era mais que certo: serventes, estucadores e mestres-carpinteiros, todos de taberna em taberna atrás dum pedreiro de concertina e flor na orelha. Mais que certo, pelo menos era o que acontecia todos os anos naquele dia. E ele, que era o guarda da obra, acompanhava-os em pensamento. Às vezes baixava os olhos para os dois queijos que tinha aos pés, num pedaço de jornal, mas logo a seguir via a fogueira quase morta, via a panela, a estrada, e ia por ali fora, entre quintas e poeira, e só descansava a vista na cidade, lá longe. Isto sem deixar de mastigar.

Comia lentamente, sem gosto, apenas para sustentar o corpo, e também nisso se parecia com os camponeses, que se alimentam, não comem. Um cavador mastigando em pleno descampado comeria decerto assim – com aquela mesma solidão; talhando à navalha na palma da mão, poupando o conduto, bebendo pela garrafa em goladas pensativas.

Ora aconteceu que, a meio da merenda, o guarda das obras avistou no horizonte duas sombras a caminharem em direcção ao telheiro. Deixou de prestar atenção à cidade, lá longe, e ficou-se a seguir a marcha dos dois estranhos. Vinham-se aproximando, aproximando, aproximando, a ponto de se perceber que, coitados, arrastavam pesadas cargas com eles: malas. Daí a pouco já se lhes distinguiam as feições, e o homem no telheiro pasmou: chineses – dois chineses brilhando ao sol.

Compreendeu então que se tratava de feirantes, destes que vendem carteirinhas lavradas e coisas de enfeitar raparigas. Antigamente havia-os por todo o lado mas hoje é curioso que se encontram muito raramente e cada dia menos. Foram para a terra deles, para a China, resolveu o guarda. Segundo consta já não existe por lá a muralha dos mandarins de ouro de que tanto se falava.

Enfim, fosse como fosse, aqueles também eram chineses e andavam por cá. Traziam os chapéus na mão e enxugavam constantemente a testa com um lenço. Porquê, por causa do calor? E como é que duas criaturas assim sugadas, duas almas sem pinga de gordura, não é verdade?, como podem eles, chineses, ter suor para deitar cá para fora? Impossível, não se compreende.

Mas eram assim, suavam. Passaram pelo telheiro, de orelha baixa e a assoprar com tanto calor, passaram e nem bom dia nem boa tarde. Mas dez passos adiante, se tanto, vai um deles segura o outro pelo braço e desata a falar numa linguagem que ninguém entendia: chinês. Pegaram-se em discussão, discussão mansa, conversa. Um tinha focinho de rato e dizia uma coisa, o outro tinha dentes de ouro e dizia outra.

Vendo um espectáculo daqueles, as crianças largaram a brincadeira e correram a pôr-se atrás deles, muito juntas. Riam à socapa, encolhiam-se, mordiam os dedos, perdidas de riso. E os chineses na conversa, sem darem por elas.

No telheiro, o guarda das obras ia cortando pedacinhos de queijo que levava à boca na folha da navalha, mas não perdia um som, um gesto deles. A dada altura um dos chineses tomou uma decisão. Na companhia do amigo entrou no telheiro e depois de ter desejado boa tarde ao homem que comia à maneira dos camponeses perguntou-lhe por qualquer taberna ou casa de pasto ali próxima.

«Não há perto? Não há?»

Aqui as filhas do guarda não puderam mais, romperam numa tal risota que tiveram de fugir para trás dum monte de falheiros.

«Meninas», murmurou o visitante dos dentes de ouro; e abria um sorriso de moeda antiga. «As meninas.»

Claro que não dizia meninas como nós; dizia manine. Também não tinha dito, ao chegar, boa tarde; tinha dito bôla tarda. E assim por diante.

«Menina bonita», repetiu voltando-se para o sítio onde as crianças estavam escondidas.

O guarda das obras ofereceu-lhes então da sua merenda e, com respeito a tabernas ou casas de pasto, explicou que por ali não havia nada, mas o que se pode dizer nada, a não ser, bem entendido, tijolos e poeira.

«E pão?», perguntou, também a sorrir, o do focinho de rato. «Pode dispensar meio pão?»

«Arranja-se», respondeu o guarda.

Pousou a navalha no jornal, ao lado do queijo, e foi à barraca dos mantimentos.

«Oh», disse o Sorriso Dourado, vendo-o voltar com um pão de quilo. «Basta metade. Não vende metade?»

O guarda lembrou-se de que os chineses não são muito amigos de pão. De arroz, arroz sim, e com dois pauzinhos. Pelo menos é o que se ouve dizer deles.

«Sentem-se», disse. «Puxem essa tábua e metam-lhe dois tijolos por baixo.»

«Muito obrigado.»

«Sem cerimónia. Aqui ao menos há sombra.»

O do focinho de rato abriu um saquinho de moedas para pagar o pão e o companheiro tirou um cartucho de figos secos. Foi a vez de perguntarem ao homem se era servido.

«Bom proveito. Se quiserem vinho, façam favor.»

Os visitantes recusaram a oferta com muitos agradecimentos e lançaram-se à comida. Vendo aqueles dois seres à volta de meio pão e de uma mancheia de figos, o guarda dizia lá com os seus botões: Não há dúvida, andam a juntar para a viagem. Isto por aqui já deu o que tinha a dar.

Muito calados, os chineses comiam com uma velocidade danada. Toupeiras, ratos, bichos miúdos, era o que eles lembravam a mastigar. Mas só as bocas mexiam; de resto estavam muito compostos, silenciosos, contemplando ora o chão onde assentavam os sapatos de lona, ora as pequeninas mãos com que agarravam o pão e que tremiam, tremiam. Era da idade, com toda a certeza; tremuras assim são próprias de quem já conta um bom par de anos e não devemos esquecer de que a idade dos chineses engana muito. Aquela cara lisa, a barba que a bem dizer nem é barba é cabelo fraquito, verdadeira lã de rato, é que os faziam parecer mais novos – ou melhor: sem idade.

É isso, pensou o guarda das obras, estes chineses que ali estavam eram os últimos que ficaram por cá. Queriam voltar para a pátria lá deles, estava-se mesmo a ver, e não faziam senão bem porque pior do que aqui não seria possível, e a prova é que os outros tinham abalado todos. Estes é que já não eram crianças nenhumas e, coitados, ficaram para trás. O homem do telheiro perguntava a si mesmo há quanto tempo não andariam eles a juntar dinheiro para voltarem à terra.

«Comem um prato de caldo, não comem?»

«Obrigado», disseram os visitantes, «muito obrigado.»

«Comem», decidiu o guarda. «Um caldo até aos doentes faz bem.» Antes que lhe dessem resposta, pôs-se logo a espevitar a fogueira. Soprou forte, agachado diante do borralho, e agachado ficou todo o tempo em que a panela do caldo esteve ao lume a aquecer.

Cismava. Tinha tirado um palito detrás da orelha, revolvia-o nos dentes, preocupado com os chineses, com o muito trabalho que deviam ter em amealhar para tão longa jornada e, por último, imaginando a imensa muralha de mandarins, hoje destruída por guerras de milhares de anos. Viu ainda dragões, cobras de fogo, num céu reluzente de cetim como nas colchas dos ciganos de feira, mas torceu o nariz: dragões desses, se alguma vez existiram, já tinham sido varridos da face da China com certeza. E mandarins?, perguntava, sempre era verdade que havia mandarins com as tais unhas compridas que se viam nas gravuras?

Os chineses também pensavam. Com as mãos cruzadas diante das panças miúdas, olhavam uma a uma as malas do seu comércio, os cintos e as carteiras de cabedal penduradas numa viga de ferro. Isso queria dizer que, sentados na tábua, tão sérios e fitando tudo daquele modo, deitavam contas à vida.

Quando o guarda das obras achou que o caldo já estaria capaz de se comer foi buscar ao barracão pratos e colheres de folha e serviu os visitantes.

«Ih», fez o Sorriso Dourado. «Muito caldo, patrão.»

«Qual muito nem meio muito», disse o guarda.

E o Focinho de Rato: «Bom. Caldo bom, mas muito caldo.»

«Cheguem-lhe, é comê-lo enquanto está quente. Vossemecês ainda vão para muito longe?»

«Linda-a-Pastora, patrão.»

«Diabo», disse o guarda. «Daqui a Linda-a-Pastora é um pedaço.»

Focinho de Rato sorriu.

«Há festa lá, patrãozinho. Há baile, há barraquinha toda a noite.»

«Em Linda-a-Pastora? É possível, não digo que não. No dia de hoje há festa em toda a parte.» O guarda pôs os olhos na folha de jornal com os dois queijos: «Em toda a parte, digo bem.»

E com isto calou-se. Só voltou a falar depois de os visitantes acabarem a refeição e dessa vez para lhes dar a provar do queijo que estava em cima do jornal.

«É cabreiro, é de confiança.»

Como nem um nem outro aceitassem, o guarda das obras quis saber se seria por não gostarem de facto de queijo ou por desconhecerem tal espécie. Podia dar-se o caso de na China não se fazer queijo de cabra, era uma razão.

«Faz, patrão. Faz de tudo. Queijo de cabra, queijo de vaca, queijo de toda a qualidade.»

«Também me parecia. Mais a mais o cabreiro que é fácil de fazer. Basta que haja cabras e pasto. O resto é fácil.» E dito isto, o guarda sorriu: «Já se vê, cabras há por toda a parte. Onde houver gado de saias há-de haver cabras por força.»

Os chineses a princípio não compreenderam muito bem o que o guarda queria dizer mas passado um instante descobriram: falava das cabras-mulheres e não das cabras-cabras propriamente ditas. Então riram a bom rir.

«Mesma coisa que aqui, patrão. Mesma coisa, mesma coisa.»

«A mesma coisa não será bem. Sempre há-de haver as suas diferenças.» O guarda tinha-se posto muito sério. «Pelo menos em questão de comida tenho ouvido dizer que é diferente.»

«Comida?»

«Sim, parece que vossemecês comem ratos.»

«Oh», disse o Focinho de Rato.

E o outro, Boca Dourada:

«Nossa gente come tudo. Come arroz, come pão, come peixe, come carne...»

«Ratos», cortou muito pronto o homem do telheiro. «Ele sempre é verdade que na China se comem ratos?»

«Oh!»

«E baratas assadas? E andorinhas?»

«Oh!»

«O quê, não comem andorinhas? Pois garantiram-me que sim.»

«Nossa gente, patrão, come passarinho como o português. Patrão não gosta de passarinho?»

«Homem, nem se pergunta. Fritos em banha e com um copo para amortecer, não há petisco que se compare.»

O guarda sorria por dentro, com lume no olho. Estava a ver passarinhos a pingar no pão aos balcões das esplanadas de cana, fora de portas.

«Olhem, faz agora um ano comi eu lá na terra uma dúzia de pardais como há muito não tinha memória. É verdade. As mulheres a tirá-los da frigideira e mais adiante uma rede a caçar neles.»

Sabia muito de pássaros e principalmente de maneiras de os apanhar. Ali, na presença de dois chineses, explicou manhas, ensinou armadilhas e tudo quanto tinha aprendido sobre os pousios das aves e sobre as diversas formas de os comer regados a vinho fresco. Terminada a lição, os chineses levantaram-se:

«São horas.»

Pegaram então nas malas, abriram-nas em cima da tábua e, com uma troca de olhares, cada qual tirou um lápis pequenino que veio entregar ao homem do telheiro.

«Para as meninas. Para a escola delas.»

«Bom, nesse caso, muito agradecido.»

Um dos visitantes, Focinho de Rato, apontou qualquer coisa numa agenda. O companheiro leu, concordou, e o guarda, mordido pela curiosidade, estendeu o pescoço.

«Contas», desculpou-se Focinho de Rato notando o interesse do homem pelo que estava no papel. Mostrou-lhe os gatafunhos: «*Lápis, dois lápis*...»

O homem caiu das nuvens. Nunca lhe passara pela cabeça que se pudesse escrever tanto em tão poucos riscos.

«E o resto?», perguntou. «Que diz o resto?»

«Diz *figo*... Assim: *figo, cinco escudos*... Aqui está *pão*. Aqui *onça de tabaco*...»

Percebo, pensou o guarda. São as contas deles para a tal viagem.

«E por exemplo, *pássaro*? Como escrevem vossemecês a palavra *pássaro*?»

«Papel», pediu o Focinho de Rato. «Acabou-se o papel.»

O homem do telheiro não perdeu tempo, deu-lhe o caderno do registo das ferramentas.

«Assim. *Pássaro* escreve-se assim.»

A cada pergunta os visitantes sorriam. Lá adiante, na estrada, as pequenitas observavam, muito intrigadas, os três homens debaixo do telheiro entretidos com as letras chinesas.

«E *vinho*?»

«Vinho é assim. *Vinho*.»

Sorriso Dourado tirou então o lápis ao amigo e escreveu também os seus riscos.

«Que é?», perguntou o guarda.

Os chineses sorriram ainda mais.

«*Boa festa*», disseram. «*Dia Feliz*.»

«Ah», fez o guarda.

Pegou no caderno, mirou-o de todas as maneiras. E já os outros estavam de mala ao ombro para partir, ele continuava com os olhos naquilo, encandeado com as letras.

«Boa tarde», despediram-se os chineses, um de cada vez. E o guarda das obras disse-lhes igualmente boa tarde, mas sem largar o caderno.

Lá os viu seguir muito dobrados com o peso das malas, muito pequenos. Ao passarem pelas crianças quiseram fazer-lhes uma festa mas elas fugiram-lhes com a cara.

«China», gritou a mais velha, quando os dois já iam longe.

Virou-se para a irmã e riram ambas da partida. Depois deram as mãos e afastaram-se aos saltinhos compassados, cantarolando:

«Oh, oh, o maluco do chinês... oh, oh, o maluco do chinês...»

O pai não as ouvia. Sentado diante da garrafa e dos dois queijos cabreiros, estudava e tornava a estudar o caderno dos traços chineses. Lembravam-lhe a maneira como ele próprio, que não sabia escrever, apontava as suas coisas: um risco para cada saco de cimento, tantos quadrados para tantos milheiros de tijolo, uma cruz para as cargas de areia – e assim por diante.

«Como nós», ia dizendo o guarda, «tal e qual como nós. No comer e em tudo.»

À sesta, deitado no fundo do telheiro, recordava ainda os chineses que o tinham visitado e, sem saber porquê, via-os cobertos de um brilho de ouro, vestidos com cabaias de dragões como os mágicos do circo. E sentindo o vento da tarde a trazer-lhe o cheiro da resina da lenha na fogueira, adormeceu a sonhar com passarinhos fritos, escorrendo sobre o pão.

Fevereiro de 1959

NÓS, AQUI POR ENTRE O FUMO

Certo tipógrafo que eu cá sei (casado, mulher e dois filhos) tinha a mania dos números porque, dizia ele, passava a vida a lidar com palavras e como com palavras não havia meio de se governar, ia para os números. Foi. Nos números estava tudo: o salário da semana, a idade que não perdoa, o deve e o haver, a fortaleza das nações. Estava, ensinou-lhe um folheto da chamada ciência da Numerologia, o destino de cada um de nós calculado em tabuadas divinas, e quem tinha escrito aquilo sabia o que estava a escrever, declarava o tipógrafo.

Era um gutembergue de província, nascido e criado entre alfabetos de chumbo, que ganhava o pão da vida numa oficina de meia porta a juntar letras com uma pinça, sua enxada. Plantava palavras em pesadas formas de ferro, de máquina antiga, e lia-as, ainda no metal, ao revés: ou seja, da direita para a esquerda, como num espelho, porque é assim que fazem leitura os tipógrafos-compositores, e com que rapidez. Depois, quando as via impressas na *Folha da Comarca* ou no *Boletim das Missões*, nem se dava ao trabalho de as ler no outro sentido porque vinham a dar no mesmo: cantavam eternamente a cegarrega da paz e da felicidade.

De modo que, com cinquenta anos bem contados, este operário das letras marteladas não tinha feito outra coisa senão trabalhar em elogios de inauguração, história pátria, linguagem de verso amador e mistérios de mais ou menos religião. Inclusivamente, as poucas notícias bancárias que lhe tinham passado pela forma vinham carregadas de poesia heróica.

I. Um dia, estava ele na oficina a ler da direita para a esquerda como lhe competia, apareceu-lhe determinada passagem em que se afirmava que a melhor poesia era a dos números. Lambeu-se todo de contente.

«Mulher», anunciou nessa noite, reunido com a família à volta do jantar. «A melhor poesia é a dos números. Está provado.»

Mulher e filhos não se deram por achados. Nem talvez o tivessem ouvido porque a comida estava a ferver e só se via era bocas estendidas para os pratos a assoprar. O garoto mais novo quase que chorava de raiva por não conseguir comer com a rapidez que desejava; o mais velho, então, quase que se empoleirava na borda da panela em luta com a fumarada para encontrar um pedaço de carne.

«Quieto», urrou a mãe, afastando-o com uma sapatada.

Eram duas crianças caprichosas, provavelmente por terem nascido tarde, segundo a opinião da vizinhança. Por tudo e por nada armavam cada discussão que Deus te livre. São assim os filhos dos casais velhos, mas muito inteligentes. Malignos, como diziam as mulheres lá do bairro, entre elas.

O tipógrafo, que pouco parava em casa, não dava por coisa nenhuma. Praticamente via os filhos à hora do jantar, através do fumo da panela. Podia distinguir o mais velho pelo assoprar e pelos óculos luzidios que eram de lentes grossas como os dele próprio, operário castigado por quilómetros de palavras de chumbo. Quanto ao mais novo ouvia-o e chegava: estava sempre a choramingar por causa da pressa de comer.

«De agora em diante a comida só vem para a mesa depois de esfriar», ameaçava o tipógrafo constantemente. Mas os filhos deixavam? É o deixas. Mal anoitecia punham-se a rondar a panela em cima do lume, perguntando o que era o jantar embora soubessem muitíssimo bem que nunca passava do mesmo: batatas-couves-e--osso, osso-batatas-e-couve. Com tanta pressa e tanto fumo ainda um dia haviam de acabar como o João Ratão, cozidos e assados no caldeirão.

Enquanto os dois irmãos faziam pela vida, a farejar à volta do fogareiro, o pai discutia números com os amigos na taberna: «2-X-2; 1-1-1; 1-2-X» e etc. Tinha saído da tipografia à hora do costume e de lancheira na mão, olhos de toupeira, atravessou a vila, sem nunca parar de fazer cálculos. Não via amigos nem parentes, ou se os via era saudar e andar porque nas lentes dos olhos dele só deslizavam números de equações. 2-X-1, X-X-2, 1-1-1... Na taberna tinha os companheiros da praxe à espera, armados de papel e lápis.

Cada um destes homens acenava-lhe lá de longe com o seu impresso do totobola e cada um guardava na manga o seu palpite de vai ou racha. Tinham estado toda a santa semana a meditar e a urdir e agora reuniam-se para a discussão final, lançando apostas e contra-apostas num burburinho de todo o tamanho:

Um apregoava, suponhamos, Sporting-Académica, e caíam-lhe logo todos com: «Empate», «Ganham os estudantes», «Jogo prós da casa». Outro limitava-se a soltar o nome do Guimarães. Ou do Braga (é tudo um supor). E, maldita hora, os restantes não lhe perdoavam, atirando com mais resultados, mais vitórias, mais empates e escrevendo sem perda de tempo 1-X-1, X-X-2 e X-fosse--o-que-fosse, com medo de perderem o vento da fortuna. Parecia que se estava na bolsa porque só se gritavam números a correr e com cotações em duplas pelo meio, cotações em triplas, Benfica, Vitória, Belenenses, derrotas e eliminações – um vendaval, um leilão. Não faltavam sequer os nomes universais do Peñarol SC, do Manchester e do Dynamo de Moscovo, impérios sem fronteiras (digo bem: impérios) que os apostadores da taberna mediam e pesavam em cima de uma mesa de pinho. Operações na Bulgária ou no Jamor eram com eles; investiam em Zurich e em Varsóvia, estádios gelados; iam até à mais incerta praça dos Balcãs com os seus pequenos dinheiros lançados dali, a centenas de quilómetros de distância.

Pelo que tinham lido e ouvido conheciam muitos milagres e glórias de totobola, estava nisso a sua confiança de avante, denodados apostadores. Possivelmente, eles próprios já tinham ganho, no muito além, as suas centenas de escudos e não viam razão para desanimar. Sabiam que a bola é redonda, e que tanto pára na algibeira do pobre como no cofre do rico, a questão estava em arriscar.

A mulher do tipógrafo sentia as apostas a crescer, hoje cem, amanhã duzentos e, bem entendido, não sossegava. «Qualquer dia já só comemos fumo», dizia. E brincando, brincando, a panela cada vez levava menos carne e mais água. E a fumarada crescia, era fatal.

Mas o marido é que não se apercebia; e continuava na dele, nos números. Enquanto o filho mais velho andava pelo fundo da panela em demanda da carne impossível, punha-se a fazer contas em voz alta às possibilidades que cabem a um pai de salário parado, em face do quadro do totobola. Costumava dizer: «Se o trabalho chamasse o dinheiro estavam os bois podres de ricos», explicando que hoje em dia todas as fortunas vinham talhadas desde o berço e ai daquele que sonhasse enriquecer no tostão a tostão porque foi tempo. Lotarias e totobolas seriam o único remédio para levantar a cabeça no meio do capital sem piedade.

«Lotaria?», sobressaltou-se a mulher quando o ouviu falar assim pela primeira vez. «Já não te chega o totobola?»

E para os filhos: «Jesus, que o vosso pai quer-nos desgraçar.»

O que ela foi dizer. Mal ouviu isto, o miúdo mais miúdo, que já estava rabugento por causa da sopa a escaldar, desabou numa berraria de fazer estalar as paredes. Comeu logo uma bofetada:

«Toma, que é para saberes», gritou-lhe a mãe com a palma da mão.

Pior ainda, a choradeira cresceu. Novo bofetão, maior berraria. Outro e mais outro – a mãe de família estava o que se diz fora de si. Desatou em cima do pequeno à praga e à lambada e tudo porque em casa onde todos têm razão sobra a fome e chove o bofetão. Assim mesmo. Por fim, cansada de bater, fugiu para o quarto.

Sentou-se à beira da cama onde tinha feito aquele filho e pôs-se a soluçar de mansinho com muita pena de si própria. Depois começou a sentir remorsos de tanto ter castigado a criança e isso ainda lhe amargou mais as lágrimas. Coisas de mãe, ninguém é capaz de adivinhar se há mais amor se desespero nas lágrimas duma mãe pobre. Esta, por exemplo, chorava tão lentamente e sacudia a cabeça com tal desgosto que bem se via que estava infeliz com ela própria e cheia de pensamentos que a vinham atormentar, uns atrás dos outros.

Para ali ficou tempos esquecidos, já sem lágrimas, só soluços, e no meio dos soluços percebeu que havia outra vez sossego na cozinha: colheres a desandarem dos pratos para as bocas e, de tempos a tempos, a voz do marido por trás duma coluna de fumo. A família comia, pensou, levantando-se. Tinha de ir. Tinha de estar presente, era lá o seu lugar. E assim fez, foi.

Quando regressou à mesa deteve-se um instante junto do filho mais novo. Devorava a sopa às colheradas, muito empenhado como sempre; apenas, desta vez as lágrimas deslizavam-lhe pela cara e parecia que já não eram dele, silenciosas, mas do fumo que rolava à flor do prato. A mãe assoou-o à ponta do avental. A seguir pousou-lhe a mão na cabeça. Demoradamente.

«Domingo temos chouriço ao almoço», anunciou o tipógrafo, da outra ponta da mesa.

Silêncio geral. A mulher, mãe de família, serviu-se da sopa em gestos vagorosos – desinteressada ou esquecida, nem ela sabia.

E o marido: «Sábado que vem, logo que receber os serões, vou ao talhante do mercado e trago de lá quilo e meio de chouriço.»

«Quilo e meio?», disse a mãe de família. «Tomaras tu uma quarta, quanto mais.»

«Falo pelos números.» O tipógrafo à mínima discussão respondia que falava pelos números. «Quilo e meio de chouriço não chega a vinte por cento das horas extraordinárias. Mas está bem, que seja um quilo.»

«Metade», teimou a mulher. «Com meio quilo de chouriço e um pedacinho de unto arranjava comida para três dias.» Ficou de colher no ar, suspensa: «Tu lembras-te daquele guisado que fazia a minha irmã?»

O tipógrafo pôs-se a esfregar as mãos: «Petiscos. O que eu quero é petiscos. E depois?»

«Depois o quê?»

«O guisado, mulher. O tal que fazia a tua irmã.»

«Levava chouriço, feijão e, querendo, podiam-se fritar umas fatias de lombo para acompanhar.»

«Lombo de porco?», perguntou o marido.

«Se houver, já se vê. Mas só o molho valia por um almoço. Era capaz de comer toda a vida bocadinhos de pão ensopados naquele molho.»

Tipógrafo, mulher e filhos estavam diante dos pratos vazios e da panela que já tinha parado de fumegar.

«Cá por mim», disse o homem, «acho que faz falta aí arroz. Uma ou duas colheres quanto mais não fosse.»

E a mulher: «Há quem ponha, há, mas só para fazer prato. O molho se for bem apurado dispensa tudo. Basta que leve a sua conta de pimenta, um bom dente de alho...»

«Louro...»

«Só uma folhinha para puxar o gosto. Leva louro, leva cenoura às rodelas... É preciso é que não engrosse muito para se poder molhar o pão.»

O tipógrafo até os olhos se riam. Voltado para a mulher, palitava os dentes com um pedaço de fósforo e as lentes dos óculos luziam-lhe como nunca.

«Vinho», disse. «O que um molho desses exige é uns bons copos de tinto para amortecer.» E a propósito de vinho, estendeu a mão para a garrafa.

Mas nesse momento o pequeno mais novo começou a tremer o beiço, quase a chorar: «Mãe...»

«Que é?»

«O Chico, mãe. Diz que não me deixa molhar o pão.» E, zás, atirou um empurrão ao outro e escondeu-se atrás do prato. Chorava, batia com os pés no chão e dava murros em cima da mesa. «Não deixa, mãe. Vai ver que não deixa...»

II. «Deixa, pois», sossegou-o a mãe.

No dia seguinte, no outro e no outro, cada vez que vinha à conversa o guisado de chouriço com molho de ensopar repetia-se a cena e a mulher repetia a promessa ao filho inquieto. «Rapaz genioso», pensava o tipógrafo que continuava com a ideia no arroz, arroz branco, a cobrir o denso e terno sabor do feijão e a fazer cama para as louras fatias de lombo frito. Guisado, arroz, vinho – e de nariz no ar sentiam o sábado a aproximar-se através do fumo da panela.

Simplesmente, à medida que a semana avançava, além de totobola e de palpites a dois números, como dantes, as conversas passaram a ser acompanhadas com opiniões sobre a lotaria – números ainda. «Eu não dizia?», inquietava-se a mulher mãe-de-família. Dia a dia o marido falava menos em petiscos de lamber o beiço e só lhe aparecia embandeirado em bilhetes de sorte grande para comprar um velho automóvel que havia algures, muito misteriosamente, num pátio dos arredores.

«Homem, tu com isso ainda vais arranjar trabalhos. Por esse preço quem te garante que o carro não foi roubado?»

«Roubado coisa nenhuma. Descobriu-mo um mecânico de confiança no armazém duma viúva.»

A mulher, pois sim, pois sim, mas torcia o nariz. Motor, rodas, mais isto e mais aquilo, tudo lhe fazia espécie. Desconfiava, estava no seu direito. Dizia que comprar velho por pouco dinheiro era mealheiro roto em casa de oleiro.

«O problema são os pneus», murmurava o tipógrafo de quando em quando, só para ele. Mas não desanimava: com quaisquer novecentos mil-réis sabia onde arranjar uns recauchutados.

«E a carta?», perguntava a mulher, infalivelmente. Sempre que o via a deitar contas ao carro vinha logo com o problema da carta de condução.

«Merda para a carta», era a resposta. «Quem tem dinheiro para o carro tem dinheiro para a carta. Tiro-a, onde está a dúvida?»

Passaram a semana nisto, a discutirem o famigerado calhambeque à sombra da panela fumegante. Chegou-se o domingo, chegou-se a segunda e o homem nada de esmorecer. Falava, contava viagens, fretes de ocasião e principalmente referia-se às grandes minas de petróleo que acabavam de ser descobertas em Angola. Isso ia favorecer muitíssimo toda a nação, afirmavam os jornais; e os automobilistas, já se deixa ver.

Mãe e filhos ouviam-no e preocupavam-se com os números que ele citava todas as noites diante do jantar: quilómetros, litros de gasolina, pequenos contos de réis. Sabiam que guardava em qualquer lado o vigésimo da lotaria da semana – seis algarismos dobrados na carteira, como uma nota de banco, ou talvez no fundo duma gaveta, como um documento secreto, disputado.

E vai então os garotos puseram-se a adivinhar onde o teria ele escondido esse passaporte para a sorte grande, tão pressentido e tão calado. Desenhavam planos do tesouro, formigavam por entre pedras e tábuas, iam ao nem se imagina, à procura. Na cama, antes do adormecer, inventavam segredos de recantos para explorarem de manhãzinha.

«Sei um sítio», dizia o mais novo; «Sei um sítio», dizia o mais velho. Depois contavam – troca por troca.

Mas o vigésimo, que era dele? A mulher ainda tentou saber o número da terminação porque uma vez, num sonho antigo, lhe tinha aparecido uma ratazana de seis orelhas a correr sobre seis patas e, salvo erro, numa sexta-feira. «Seis», disse ao marido. Mas este respondeu-lhe:

«Parvoíces. E logo o seis, que é um dos números que sai menos. Deixa o caso comigo, não te metas nisto.»

Ainda pensou oferecer uma vela a Santo António para que lhe desse um prémio, mesmo pequeno. Mas arrependeu-se logo. Jogo e religião não se dão bem. Podia até vir a ser castigada por ofender a fé e, assim como assim, o melhor seria esperar até sábado, fazendo por esquecer.

Enquanto esperava e ouvia o marido em negócios e passeios de feriado, inquietava-se com a ideia de vir a ter um carro, se por acaso o tivesse. Preferia uma máquina de costura a um automóvel velho e cheio de manhas, como era de esperar que aquele fosse.

Resposta do tipógrafo:

«Qual máquina, qual gaita. Tens a da vizinha, não te chega?»

A mulher encolheu os ombros. Estava farta de explicar que a vizinha andava de má vontade, que havia de fazer?

«Convidamo-la para um passeio de automóvel e verás como fica outra.»

«E eu?», perguntou o filho mais velho, muito rápido. «Também vou ao passeio, pai?»

«Vai tudo. No carro cabe tudo e mais que fosse. A questão é a tua mãe deixar de embirrar com as vizinhas e não vir para cá com desculpas da máquina de costura e não sei mais quê.»

E com isto o tipógrafo pai-de-família voltou às vantagens de ter um automóvel em segunda mão como aquele que estava algures, num armazém dos arredores, com os seus faróis adormecidos e o seu bojo hospitaleiro. Podia afiançar a qualidade da chapa, tão grossa que já não se fabrica nos dias de hoje, e em matéria de espaço nada como aquilo – era conforto americano, o mais possível. Por fim, tratando-se de um motor valente, todo à prova de buraco e pedregulho, nunca deixaria ninguém envergonhado fosse onde fosse. Podia-se confiar nele para certas estradas que os carros mais novos nem de longe se atreveriam a cheirar. «Se eu não soubesse o que estava ali não me ia meter em despesas», acrescentou, mais para ele do que para a família. «Sou algum parvo, não?»

Começava a perder a paciência com tudo aquilo e em especial com tanta dúvida, tanta má vontade da parte dos seus. Havia de morrer sem ter gozado o que os outros, com muito menos anos de ofício, tinham gozado?

Ouviu-se um berro: «Pai.»

Era outra vez o filho mais novo a apontar o irmão e já de lágrima ao canto do olho: «Pai, o Chico diz que você não me deixa ir à janela.»

Aqui o tipógrafo perdeu a cabeça. Assentou uma palmada na mesa, pondo-se de pé, num salto:

«Não te deixo a ti nem a ninguém. Já que todos desconfiam do carro, fica para mim.»

Saiu, mas à porta da rua repetiu, bem alto e para quem o quisesse ouvir, que ninguém, mas ninguém, poria os pés dentro do automóvel.

III. Lá para as tantas, quando voltou a casa, a mulher estava à espera dele na cozinha. Tinha-se visto e desejado para conseguir calar as crianças, que àquela hora continuavam de olho aberto, debaixo dos lençóis.

«Vai lá vê-los, anda. Vai», pediu ela ao marido. «Diz-lhes que os levas também, coitadinhos.»

Natal de 1971

DINOSSAURO EXCELENTÍSSIMO*

* Versão revista pelo Autor após o 25 de Abril.

Hoje em dia pode roubar-se tudo a um homem, até a morte – disse o contador de estórias à sua filha Ritinha.

Contou mais o contador, falando de certo Reino onde nos velhos outroras vivia um imperador astuto, diabo e ladrão – imperador esse que, à força de matar palavras no falar de cada um, finou os seus ricos dias em paralisia da mentira, de sorte que não se sabe se afinal ele era um homem, se era estátua ou apenas descrição. Que o saiba quem quiser saber, é questão de procurar (disse o dito contador) pois se firmar bem a vista vê-lo-á no horizonte como um vulto de destroços, arrecife ou praga seca, engalanado em discursos e ossadas.

Paz à sua alma – se é que continua vivo. Porque se trata de alguém a quem roubaram a morte própria, em castigo da mentira com que ele mesmo se inventou.

Supõe-se, está vagamente escrito, que o tal imperador nasceu simplesmente do nada. Que apareceu algures numa choupana, filho de gente-ninguém ou pouca-coisa, camponeses ao desabrigo. Alguns dizem: Enjeitado de príncipes. Outros que não passava duma simples semente de Deus como qualquer de nós quando vem à terra. Mas quem tem razão? Quem garante? Que se saiba aprendeu cedo e por cartilhas de aldeia – ponto assente. Por catecismos também, tudo leva a crer. Depois deve ter entrado pela sebenta mais que benta dos aplicados e o que é certo é que ainda muito mocinho fez ciência entre os doutores – e isso, sim, está provado, vem na História.

A princípio, data a apurar, a criança tanto podia chamar-se Augusto como Adolfo, como Maximino ou como Benedito, que não era daí que vinha mal ao mundo. Nomes são safiras ao preço da água benta, é só mergulhar e escolher; e Maximino ou Fulgêncio, Teobaldo ou Adolfo, Adolfo Hirto, Benito Bendito ou Sebastião Desejado, embora nomes para fazer destino, naquela altura ainda não davam nas vistas. Por outro lado é bom que se note que este pequeno cristão era dos tais que nascem à flor do maldivino e, como tal, nome, se o teve, deixou-o na pedra do baptismo porque quando o mundo deu pela sua pessoa já ele tinha o corpo e a idade da morte e só respondia por

IMPERADOR
Dinossauro Um, Imperador e Mestre.

Teria tido infância? Mistério, neste ponto mesmo os cronistas mais cautelosos tropeçam no aparo e vão estatelar-se na História, uns anos mais adiante. À falta de melhor põem-se a escrever Saber e Autoridade, *Saber e Autoridade, Dinossauro*, copiando o lema imperial gravado nas moedas, nas placas de rua e nos edifícios, e assim apuram a caligrafia.

Respeito, cidadãos ignorantes!

Dinossauro, criatura solitária desde o berço, estava escrito que iria subir altíssimo na asa da compostura por cima do casebre mais pobre e do palácio mais louco e que teria de tirar um curso que lhe desse para governar toda a gente. Leis, decidiu o padre local,

«ESTA CRIANÇA VAI PARA LEIS.»

O regedor, muito dado às fardas e às marchas, respondeu que na espada é que estava o mando e que sem espada nunca a balança da Justiça conseguia medir certo. Nessa conformidade o militar valia por 2 (dois): pelo guerreiro e pelo doutor de leis. Salvo melhor opinião, a espada do militar cortava a castigo, como já naquele tempo se sabia, e no acto de julgar não precisava da balança da Justiça nem da venda nos olhos para coisa nenhuma, ao passo que a lei sem espada, ora adeus, não valia a ponta dum chavelho, permita-se a expressão. No modo de ver do regedor o pequeno podia dar um valente general de sete estrelas ou mais.

Estavam nisto quando, pezinhos mansos, teque-teque, apareceu a Dona Madrinha da criança, que era rica e muito solteira. Ouviu falar em espadas e em guerreiros e nem quis saber de mais nada: abriu os braços para o céu, pronunciando as seguintes palavras:

«QUE PERFEITO MISSIONÁRIO»

Entre a cruz e a balança, o regedor nem uma coisa nem outra ou, antes, as duas ao mesmo tempo. Tinha futurado para a criança um ofício em que o divino e o profano se servissem de mãos dadas. Militar. Lembrava a aliança que sempre tinha havido entre a espada e o crucifixo nos reinos da cristandade, sem esquecer o papel dos audazes capitães no desbravar da selva dos infiéis. Sendo assim, militar é que convinha. Militar, insistia, porque servia a Cristo e ao Rei, era a tal coisa. Militar. General, general de sete estrelas. E lambia-se só de pensar.

Pois sim, pois sim, mas a madrinha, muito solteira e mais que dona, agarrava-se aos bentinhos que lhe aqueciam os seios e punha-se a bater o pé: Missionário, missionário e missionário. Protestava que não havia mais valentes batalhadores do que os cavaleiros das missões, que não usavam senão as armas da fé, e por conseguinte a criança havia de ir para os pretos, que pagava ela os estudos.

Linhas do destino, cruzadas e partidas, que só a mão de Deus sabe traçar mas que cada um procurava ler para adivinhar o norte certo. E o prior, que também era gente, não se deixava ficar por fora dos palpites. À mais pequena aberta fazia desvio no rumo, lembrando aos presentes que:

Ele, pastor daquele rebanho de desorientados há não sabia quantos anos, tinha um certo pacto com Deus, mais que não fosse por razões da sua profissão. De acordo?, perguntava. Silêncio à volta. Bem, nesse caso o prior sentia-se melhor do que qualquer um, melhor do que ninguém, fosse quem fosse, para afirmar o que convinha à Santa Madre Igreja e ao mundo Pecatorum Orbi e que era: Doutor. A criança estava destinada às leis por muitíssimas razões, quod erat demonstrandum.

«ÁMEN»,

respondia a madrinha, atraída pelo latim. Mas emendava logo: Missões, acima de tudo a fé.

«ÁMEN»,

repetia o regedor amigo das fardas porque, como autoridade, nunca poderia negar um ámen à palavra dum sacerdote.

Estava-se em

PARTIDA NULA,

era o costume.

O prior, como a sua paciêcia não tivesse limites (por causa das Sagradas Escrituras), o prior repetia e tornava a repetir o seu palpite bem-intencionado, explicando a beleza dos doutores de leis. Apresentava-os como eminências que se passeavam apoiadas no parágrafo de ouro e que era tão solene como o báculo dos bispos mas com mais voltas. Depois, também eles tinham a sua bíblia, acrescentava, o seu Código-Codex-Abrenuntio onde mergulhavam a todo o instante para acertarem o relógio do castigo, razão por que estavam sempre tão estudiosos e meditabundos.

Ora, estudo e meditação era o que o padre encontrava mais à vista na maneira de ser da criança, não falando já (como revelou anos depois) no vício de aprender palavras raras que ultimamente lhe tinha notado. Um orador, era o que se estava ali a gerar.

Os presentes engoliram em seco:

«PALAVRAS?»

Palavras, repetiu o padre. Força do verbo, dom divino – e depois? Com palavras é que se fazem os decretos e se alguém na tenra infância se mostrava tão interessado nelas, o prior não podia ter dúvidas de que se tratava dum futuro juiz todo dado ao recolhimento e à frase de alçapão. Virando-se para a madrinha disse: As leis justas são o apostolado mais caprichoso aos olhos de Deus, fique-se com esta. Virando-se para o regedor lembrou-

-lhe que na lei está o princípio de tudo. É com decretos que se convoca a tropa e é com decretos que se fazem generais, tenho dito.

Por estas e por outras, os pais do mocinho venderam o burro e o quintal e com o dinheiro apurado levaram-no para uma universidade que ficava no alto duma montanha,

ENTRE NUVENS.

Sofreram muito, pobres deles, antes que se aventurassem à viagem. Primeiro, porque o regedor, considerando-se desautorizado, armou uma campanha contra o cura, acusando-o de mau confessor, inimigo das fardas, refractário e hóstia de sal; pior: chamou-lhe maçónico. Depois, foi a madrinha que se sentiu mais do que nunca solteiríssima e, já vais ver, deserdou o afilhado. Não contente em mandar cartas ao bispo, fez logo ali testamento a favor dos frades crúzios ou de quaisquer pregadores corsários que ninguém adivinharia. Finalmente os habitantes da aldeia puseram-se a insultar os pais sacrificados que, afinal, não passavam duns perdulários atrás do sonho dum filho doutor.

Trabalhos. Desgraças que acontecem a quem se vê obrigado a suportar a ignorância do próximo para cumprir um destino.

Mas como diz o outro, o amor dos pais só dá meças ao perdão e um belo dia os dois camponeses, apanhando a aldeia a dormir a sesta, pisgaram-se com o filho na camioneta da carreira.

Conta-se, não há provas, conta-se apenas, que o rapazito que amanhã viria a ser imperador não se mostrou muito satisfeito com a jornada, embora a tivesse escrita no signo. Na sua infância sabedora conhecia todos os passos que lhe estavam reservados mas havia qualquer coisa que o contrariava. O que era, o que não era, só mais para diante se veio a descobrir: queria ir de burro, queixou-se ele e apenas uma vez.

DE BURRO? QUE IDEIA!

Seria por causa dos solavancos da camioneta, tão lastimosa e tão coçada? Possível, nunca se sabe. Seria por se ver à mistura com passageiros folgazões que a cada paragem corriam para as tabernas e desatavam aos abraços uns aos outros? Ou seria muito simplesmente a saudade do jumento que tinha trocado pelo curso de imperador? Enigmas, coisas da História que tem destes passos sem rastro para despistar os curiosos. O pequeno queria ir de burro porque queria. E mais não disse.

A mãe, como é natural quando se é mãe, enterneceu-se muito com um desejo tão humilde como aquele. Segundo a lenda teria sorrido tristemente, aconchegando a criança no regaço e pensando se calhar em como era frágil o seu filho.

«SOSSEGA, ESTAMOS A CHEGAR.»

De paragem em paragem apareciam garotos descalços e de arco na mão a festejar a camioneta. Alguns penduravam-se na escada que dava para o tejadilho onde ia a bagagem dos passageiros; outros, com ar disfarçado, punham o dedo no pó que cobria os guarda-lamas e riscavam bonecos; outros, ainda, espreitavam os passageiros e havia sempre um, mais curioso, que punha a mão no radiador para sentir o trepidar do calor e do cansaço. Era aquilo, a velha carripana: uma aventura tentadora, um mundo em viagem, com o motor a ofegar, o cheiro embriagador da gasolina e a novidade dos rostos alinhados às janelas.

Por isso é que quando ela arrancava estrada fora,

PUF... PUF...

os rapazitos, aqueles diabos, corriam a acompanhá-la, rindo e acenando com os braços, como se a camioneta tivesse chegado ali para os desafiar a uma corrida pelos montes e por esses mundos além. Acabavam, bem entendido, suspensos lá para trás numa nuvem de poeira, enquanto o calhambeque ia à vida, galgando covas e penedos, a assoprar, a assoprar.

Nuvens de jumentos ameaçam os fugitivos

Volta não volta, a mãe estremecida debruçava-se à janela, receosa de ver levantar-se no horizonte um enxame de camponeses a galope de burros poeirentos. Esperava-os a todo o instante, disparados pelos montes abaixo, catapum, catapum, de punho no ar e aos uivos: Avante, avante, contra a família desertora.

Felizmente que, mesmo ferrugenta, uma camioneta sempre é uma camioneta e não se deixa agarrar assim pelo mais ladino dos jumentos. E oxalá, era o que aquela mãe lhe desejava. Só pedia a Deus que ela a conduzisse em rodas firmes e a volante certo para levar a jornada a bom termo.

«SÃO CRISTÓVÃO VIAJANTE,
PADRENOSSO, AVEMARIA.»

A carripana parece que a ouvia e puxava, puxava. Tinha suportado muitas invernias, muita carga desmesurada para a sua idade e, mais que tudo, muitas más vontades dos passageiros. E ruça. Ainda por cima ruça. Da cor primitiva, da alegre cor da mocidade, não tinha nem recordação, e de cascos era o que se podia ver: mal calçada, como dizem não só os ferradores quando examinam a unha do coice mas também os chauffeurs sempre que se referem a pneus gastos, nas lonas. Para cúmulo nem ao menos dispunha duma boa buzina para se fazer respeitar.

O que valia era que, ao cabo de tantas e tantas carreiras entre os povoados e a cidade dos doutores, a camioneta tinha o caminho de cor e a bem dizer não precisava de mão que a governasse. Meterem-na por desvios era escusado; apertar com ela, pior; moía, moía, e não passava do mesmo sítio. Inclusivamente, podia emperrar de vez e recusar-se a fosse o que fosse, cheia de personalidade. Como os jumentos, afinal.

Quando tal acontecia, nada feito, tudo para a rua; e só com os passageiros a empurrar e certas habilidades do condutor a camioneta se convencia. Recomeçava a caminhada, um tanto duvidosa, arrastada, mas por fim lá se deixava ir, mais levada pelo fatalismo do que pelo desejo de servir.

«VOU DE BURRO, VOU DE BURRO»,

diria muito para ele o futuro imperador. Enquanto a mãe, sempre receosa, não deixava de olhar para trás à espera de ver surgir os asnos vingadores.

(Nota: Seria realmente de burro que os cronistas descreveriam a subida ao templo dos doutores. O filho e a mãe em cima da albarda, o pai à frente abrindo caminho com um ramo de esteva em flor.)

FINALMENTE,

pai, mãe e filho extremoso acharam-se no meio de muitas ruas apertadas e antigas. Havia pelourinhos; arcos de ferro e brasões a certas portas. Oratórios também: muitos. E padres, sobretudo. Padres, padres e mais padres, o que ali ia de padres só contado. Levantava-se uma pedra saltava um, acendia-se uma luz voava outro e logo outro e outro e mais outro, padres a dar com um pau. Pareciam gatos a espirrar das sombras.

Isto de padres era fruta corrente, quer nas cidades e nas vilas, quer no Reino em geral. Padres, cisco dos céus. Caíam em chuva peneirada sobre os campos à desgraça e em menos de um ámen já eram um extenso prado de hastes negras com as coroas-corolas das cabeleiras a dar a dar. O vento passava por eles e tirava uma música que já se sabia:

«MISERERE... MISERERE...»

Havia-os das mais variadas formas e feitios, à paisana ou em oficial – dependia do lugar e da estação. Padres em rústico encontravam-se quase sempre à mesa do lavrador ou a correr atrás das lebres; de bicicleta passavam os curas ditos operários a tilintarem as encíclicas; de motoreta, os desportivos de paróquia agitada. Alguns, de unha de verniz e boquilha nos dentes, patinavam nas avenidas de asfalto; outros instalavam-se no ecrã da televisão, e assim por diante et nunc et semper.

Não se diferençando grandemente dos mexilhões, seus irmãos (eram escuros como eles, apenas com as coroas a luzir), os sacerdotes do Reino viam-se obrigados a labutar o pão que o diabo amassou como qualquer cidadão desprovido do latim. Benziam supermercados e pedras de toda a espécie, amissavam aniversários e paradas, iam ao quartel despachar soldados em paz para os caminhos da guerra. Do sul para o norte, pelo direito e pelo torto, andavam num ver se te avias, montados nas suas máquinas temporais. Onde se levantasse arraial, era sabido, aparecia padre; onde cheirasse a desgraça idem, aspas. E assim é que devia ser porque a palavra de Deus tem de estar em toda a parte, pelo menos.

Mas na cidade onde o pequeno acabava de chegar os padres andavam em bandos colegiais e só se viam batinas e livros sebentos a passear. Mulheres é que poucas, muito raras. Ou estavam escondidas com medo, ou a terra só era boa para machos por causa do clima – nunca se soube.

Segue-se que à falta de mulheres a cidade procurava animar-se com rapazes nocturnos que brincavam aos heróis do vinho tinto e que contavam anedotas em voz alta. Vestiam asas de enterro iguais às dos padres, embora fossem estudantes, tal como os mestres deles, que eram lentes e com filhos, mas que pensavam em latim e usavam capelo na cabeça como os cardeais. O mais curioso é que, talvez por não terem mulher ou por andarem cheios de raiva aos professores, os estudantes vingavam-se constantemente uns nos outros, rasgando as capas à tesourada, rapando o cabelo aos mais fracos e fazendo trinta por uma linha. Nessas ocasiões soltavam gritos de guerra:

«EFE-ERRE-A... FRÁ!»
«EFE-ERRE-E... FRÉ!»
«EFE-ERRE-I... FRI!»

despejando todas as vogais que lhes tinham dado na escola.

Longe, nos quintais, os que andavam de tesoura no ar cantavam para chamar mulher e então esses, Jesus, eram de arrepiar. Gemiam uma guitarra e tudo adormecia em tremidos; espraiavam a voz: tinham trinados de rouxinol capado, era mel e lua cheia. Estava-se, não é preciso dizer mais nada,

Na cidade dos doutores

Das esquinas e dos portais, os três forasteiros eram assaltados por comerciantes da mais variada espécie,

«DOUTORES: VENHAM CÁ, DOUTORES!»

que não percebiam que se estavam a digirir a uma trindade de camponeses em romagem, pai, mãe e filho secreto. Também tanto se lhes dava, queriam lá saber.

Um, o alfarrabista, anunciava nestes termos: Sebentas em estado novo, doutorzinho. Caveiras e peças anatómicas.

Batinas, gritava um alfaiate de fita métrica ao pescoço.

É entrar, doutores, é entrar, dizia um estalajadeiro apontando a ardósia dos preços. Cá está a Pensão da Malvada, refeições à discrição.

Um pedinte desdentado mostrava as feridas: Doutores, doutores, pelas vossas alminhas. No café o cauteleiro prometia o paraíso e na ponta duma calçada a lavadeira, de trouxa à cabeça, lançava um pregão arrastado, de estremecer as casas: Ouuuu-lalaou, doutores...

Estes brados cresciam pela cidade, endoidecendo os habitantes.

Levado na onda de padres e de aprendizes, saudado pelo comércio e pelos brasões dos portais, envolvido no cheiro do azeite que ardia nos lampadários, o pequeno camponês atravessou becos e quelhas e penetrou no antepassado, no luto. A própria Sé estava terrível e sombria, mais carregada de séculos do que ele alguma vez podia ter imaginado. Benzeu-se ao passar por ela e seguiu jornada.

Andou, andou, até que foi dar a um largozinho recatado onde o esperava um enorme crucifixo. Aí, pausa: primeira estação. Ajoelhou como era seu dever, pedindo muitos triunfos para o estudo, memória e disciplina.

Pediu bem e em boa hora porque aquela era a imagem do Cristo Bacharel, conforme se podia ver no letreiro espetado na cruz – Universitas Sapientia Omnium – e pela coroa dos espinhos que eram em número certo, tantos quantas as figuras da Retórica. Na mão direita tinha pregado um cravo de ouro representando a Escolástica, na mão esquerda um de prata, a Praxe. Havia ainda a eterna capa negra pendurada num dos braços que, era voz geral, oferecia protecção a todo aquele que a beijasse, desde que fosse colegial ou bacharel – e só a esse.

Foi o que o pequeno fez, beijou-a.

Entre pai e mãe começou a escalada para o cume da cidade que, a partir dali, entrava já nas nuvens. A bruma rolava pelas ruas apertadas e numa delas, cortando o fumo com as asas esgarçadas, caíram-lhe em cima os ladravazes da tesoura rancorosa. Fez sinal aos pais para que não se assustassem, avançou um passo, e humildemente baixou a cabeça. Raparam-lha. Segunda estação.

«EFE-ERRE-A... FRÁ!»
«EFE-ERRE-E... FRÉ!»

Sempre no denso, trepando a brancura, a marcha agora era cega e por passagens desesperadas. De repente, céu aberto – e deram de caras com um grande mosteiro ou coisa assim, pousado nas nuvens. Mosteiro, tinha todo o ar disso. Lá estava a torre, o sino; lá estavam os claustros de pedra, fria paz da eternidade. Mosteiro, diria qualquer um. Mas o rapaz não se deixou iludir: tinha chegado à Universidade dos Doutores.

Os mestres recebem-no com dureza

«QUEM É ESTE?»

pareciam perguntar, pairando em sombrios cadeirões. Somente não se lhes ouvia a mínima palavra e nem era de esperar que se ouvisse porque aqueles mestres estavam no alto. Não diziam senão o que vinha dito nos livros antigos e nunca se dignavam nomear pessoas que não tivessem sido nomeadas pelos mestres, seus defuntos – e com o devido respeito.

Vestiam paramentos negros e usavam estolas de grandes sacerdotes, mais ou menos. Rostos tapados, cinzentos, olhos encovados, olhos de muita vigília, ali dormitavam eles num friso de catedral como apóstolos da sabedoria. Cada qual empunhava o seu diploma selado a ouro e púrpura e, à maneira de mitra, todos tinham sobre os joelhos o tal chapéu conhecido por capelo que só cabe na cabeça dos muito eminentes e não na de qualquer dos colegiais que circulavam aos pés deles, decorando a sebenta:

«PATITI, PATITÁ... NOVES FORA, NADA.»

Diga-se ainda que naquela casa havia muito latim pelos corredores, patiti, muitas memórias pelas paredes, patitá, e que só se falava a pensar nos mortos, nossos maiores,

AD GLORIAM DEI.

Sem perder mais tempo o pequeno aldeão atirou-se aos livros para aprender a maneira de pensar e de fazer frases que o havia de tornar doutor: seria uma língua calculada e muito útil porque só a entenderiam os mestres e os defuntos, o quanto basta. Estudou, queimou as pestanas, amareleceu, e quando levantou a cabeça tinha rosto de homem. Sem idade.

Logo ali, a simples notícia de que se tinha dedicado às palavras e aos raciocínios em antepassado fez com que muito boa gente afirmasse que trazia alguma novidade nova. Traria? Os doutores, no trono da sua gravidade, acenavam que sim: tratava-se de um falar muito próximo dos alfarrábios por onde tinham estudado, logo, o mais perfeito. Juízes e escrivães apoiaram e puseram na acta; habituados a pentear parágrafos, gostavam daquela maneira encarreirada de complicar. Os próprios frades, por via de regra gente recolhida, não resistiam a erguer os olhos, agradecidos: frases de longo ornato, como iluminuras de breviário, quem as podia recusar? Por fim os guerreiros-chefes: Talvez, talvez... Sabiam, ouviram dizer, que cada hora tinha o homem que a decifrava. Talvez este, porque não?

De modo que foi chamado para imperador.

O Reino naquela época tremia de frio e desconfiança. Tinha-se deslocado mais para a beira-mar, não se sabe bem porquê mas calcula-se: fome. A fome vinha do interior e varria tudo para o oceano.

Nesta leva desgarrada, escapavam os camponeses, que tinham a barriga curtida, em cardos, e que se cravavam na terra à dentada, como uns danados. Espalmavam-se nas tocas e nas dobras das montanhas para deixar passar a ventania, pareciam calhaus, seres empedernidos; depois voltavam ao trabalho, à semente que se enterra e ao fruto que se arranca. Tinham-se habituado de tal maneira à má sina que fome para eles era o pão de cada dia.

Os restantes, os que não conseguiam enganar os vendavais, fugiam de roldão pelo país, atravessando aldeias e planícies, vinhas e repartições, hoje fazendo família neste ponto, amanhã mais naquele, até se verem diante do mar, acossados. Uma vez ali, ou entregavam o corpo aos caranguejos ou faziam como o mexilhão: pé na rocha e força contra a maré. Daí o nome de Reino do Mexilhão que lhe pôs a geografia em homenagem a esse marisco mais que todos humilde, só tripa e casca.

Quando o mar bate na rocha
quem se lixa é o mexilhão

Criatura (porque o é), criatura à margem e mirrada, coisa pequena; bicho que se alimenta de água e sal, do sumo da pedra ou de milagres – o mexilhão, vida negra, tem a ciência certa dos anónimos: pensa e não fala, sabe por ele. Se virou costas à terra foi por culpa dos doutores ditos dê-erres e da conversa em bacharel com que o enrolavam; unicamente por cansaço, desinteresse. Por isso, na condição de habitante do litoral era com o oceano que desabafava. Levava os dias a medir o infinito e a resmoer o seu ditado preferido: Quando o mar bate na rocha... o resto já nós sabemos, segredavam.

Um estrangeiro, mesmo o mais despassarado dos estrangeiros, não podia deixar de concordar que havia muita verdade no provérbio. Logo que nos outros reinos se declaravam guerras ou preços lá vinha o vento a alastrar e quem pagava eram os mexilhões apesar de não terem feito nada por isso; se os serranos se deixavam arrastar das suas tocas, sabiam que era contra eles que vinham bater e viam-se obrigados a fazer parede, ai, vida, para não se deixarem levar pelas águas. Vida. Vida negra.

Ao cabo de largos anos de experiência estes camponeses pendurados nas falésias, mexilhões no legítimo sentido da palavra, tinham criado pé, raízes de limo, obstinados em olhar as nuvens, o quer que fosse. À falta de comida mastigavam os beiços e os pensamentos que lhes trazia a brisa marítima e esse morder em seco e as rugas de tanto fitarem o além faziam-nos velhos antes do tempo. Nasciam já velhos, parece impossível. Estavam, pois, assim, a mirar as nuvens, a estrela da Índia ou a onda libertadora, e eis senão quando

DECLARA-SE A INVASÃO DOS DÊ-ERRES

Eram os cidadãos do interior, filhos ricos de montanheses, que avançavam, friamente treinados pelos mestres da cidade dos doutores. Tinham cercado a capital, mascarados de juízes, mangas-de-alpaca, meninos de coro e curadores dos pobres e acto contínuo infiltraram-se nas secretarias; no púlpito; na praça da jorna; no quartel real. Ocuparam, como se diz, os pontos estratégicos para de repente, a eles, a eles, que é uma pressa, caírem em cima dos mexilhões, brandindo os seus canudos de bacharéis:

«IN HOC SIGNO VINCES!»
«IN HOC SIGNO VINCES!»

Apanhados de costas, os da beira-mar renderam-se sem discussão tanto mais que não compreendiam a língua dos invasores. Ficaram de braços pendurados e de boca ao vento, ao mesmo tempo que os dê-erres triunfantes, repetindo a sebenta dos treinadores, lhes davam a bordoada final com rajadas de discursos. Discursos e contradiscursos, discursos por uma pá velha como só os dê-erres sabem fazer: com excelência para a esquerda e excelência para a direita, e não sei se me faço compreender. E assim é que se enxofra.

Os mexilhões, nem uma nem duas. Era conversa de dê-erres, dialecto em código magistrado com parágrafos à contravolta para atordoar. Ouviam calados e saíam mudos.

Entretanto o Reino foi-se embandeirando em decretos e assinaturas. Esvoaçavam papéis de amanuenses, alegria das repartições, e no azul celeste deslizavam frases difíceis através duma poeira dourada de louvores e oratórias.

Não tardou muito a nação estava toda dita e arquivada num imenso livro de decretos e castigos, ameaças e mais que também, ao ponto de passar a ser conhecida por Comarca dos Doutores em gratidão aos ocupantes que se pavoneavam, rua abaixo, rua acima, nos cafés e até em casa, com os canudos de bacharel selados a DR. Respeito à sabedoria, queriam eles fazer saber com isso.

Bem, por amor à sabedoria estes cidadãos apresentavam um aspecto de fria gravidade. (Como se disse, excelência para a esquerda e excelência para a direita.) Tinham obrigado os mexilhões a vestir de escuro porque a vida não estava para graças, e decretaram que de futuro o riso seria a máscara do desdém, o falar a capa dos ignorantes e a alegria o fumo da inconsciência. Assim, sem mais conversa. Que se passasse aviso e se cumprisse, soma e segue, Reino da Comarca, tantos de tal.

Um a um, todos os jardins foram ocupados por espiões com o ar de quem não quer a coisa e as bandas de domingo e coreto, muito em piano, pianíssimo, foram-se afastando, afastando, e, andante, sumiram-se sem dar nas vistas. As noites calaram-se, os pobres também. As feiras e romarias, já de si tão na espinha, tão remetidas ao calendário, ficaram entregues às moscas mais desiludidas que se conhecem. Ouviam-se sinos. Ao menos isso. Os sinos, avejões cativos, multiplicavam-se em penitências levadas pelo vento,

BADALÃO... BADALÃO...

ao correr de montes e vales e cobrindo os povoados. Cá em baixo, pés na terra, soldados e procissões, um-dois, esquerda-direita, *oremus*, patrulhavam as estradas.

De agora em diante onde se lia pobreza devia ler-se modéstia, ditavam os dê-erres marcando o compasso, e essa era uma das regras para o Reino andar em frente. Estava-se numa nação modesta, explicavam, entre gente de poucas posses, capaz de fazer da pedra cama e do osso ceia mas, garantiam, gente possível de enriquecer. Tudo dependia única e exclusivamente da Providência justiceira porque naquela terra a fortuna quando aparecia era uma vez por outra e olha lá, mas nunca pelo processo do suor do rosto. Chegava por decisão do destino superior aos homens e da maneira mais simples: lotarias.

Dizia a lei que qualquer mexilhão podia subir à classe dos ricos desde que jogasse na lotaria. Lotaria, note-se bem. Sorte pela lei e não pela vermelhinha, nada mais simples.

E o mexilhão, sempre que podia, virava o forro às algibeiras e não encontrava outro remédio senão jogar tudo até ao vintém do cotão. Jogava este o que não tinha e o outro o que se lhe acabava; jogava o coxo e o enforcado, e até o cego apalpando os números; metade da nação vendia lotaria à outra metade. Em conclusão: era um reino a vender o abstracto, a negociar o talvez.

Para ajudar a reduzir os pobres, os ilustríssimos mais dedicados combinaram o chamado Golpe de Misericórdia, sorteando entre si um dado número de infelizes. Cara ou coroa, a cada um coube o seu protegido e todos os domingos, chovesse ou fizesse sol, lá iam os benfeitores nos automóveis brasonados a caminho da santa miséria. Cada um levava ao seu protegido sustento e boa vontade e discursos para o resto da semana.

ERAM INCANSÁVEIS.

Naqueles domingos de Deus lhe pague os bairros da lata ficavam outros. Reinava a animação na miudagem, havia cães e curiosos e chauffeurs de uniforme aos pulinhos nos caneiros. Nalgumas barracas acendia-se a fogueira da paz, mas só nalgumas: tantas quantas os automóveis em visita.

A campanha do A Cada Pobre Seu Rico exigia muita ordem para não acabar num arraial de invejas e de vaidades. Os dê-erres estavam atentos, eram cumpridores até à migalha: abusos não admitiam, trocas de pobres ainda menos porque o que estava assente, estava assente, ou então não tinha valido a pena o sorteio. A prova é que certa vez,

EM PLENA NOITE DE INVERNO,

gemia o frio pelas ruas e nevava nos corações, um determinado notável da Comarca, ao ser acordado por outro notável para ir assistir já, já, ao último suspiro do protegido, tirou-se dos seus lençóis e foi. Foi (em roupão estremunhado e a dar esporas no chauffeur) mas ao chegar à cabeceira do moribundo, eis que, graças ao Altíssimo, descobriu,

FALSO ALARME,

que estava diante doutro pobre, não do dele. Coçou o queixo mas, regras são regras, deu meia volta e regressou aos lençóis pelo caminho da vinda.

Azares destes só não acontecem a quem não faz protecção. E o notável antes de mergulhar outra vez no quente pegou no telefone e, mais uma vez regras são regras e manda a delicadeza, ligou para o colega notável que o tinha acordado. Excelência, disse, lamento muito mas não era o meu pobre, era o seu.

«PASSE BEM.»

É que, bem visto, bem visto, proteger com ordem é uma coisa e caridade de mãos rotas é outra (princípio do Curador dos Pobres) e ai do dê-erre que não cumprisse. O menos que se poderia dizer era que estava a atraiçoar a vontade divina, visto que no amparo por sorteio há sempre a mão do Altíssimo a comandar à distância. É ele, apenas ele, que por manigâncias do acaso junta o feliz contemplado ao nobre benfeitor e é ele que escolhe a hora e a vez, o sacrifício e a gratidão. Digamos para simplificar que «A Cada Rico, Seu Pobre», muito certo, mas segundo a vontade de Deus. Entendido?

Com as lotarias era igual – escolha de Deus, Número da Providência, também chamado. Mas as lotarias tinham mais que se dissesse porque, além de serem uma receita de produzir felicidade (a mais sábia) eram também uma forma de despertar a dignidade nos mexilhões adormecidos. Não ignores o teu semelhante porque pode estar ali o Sorte-Grande de amanhã, segredava-lhes o bichinho do ouvido e só isso já era cultivar a dignidade, o tão apreciado respeitinho que existe nas nações asseadas. Por essa razão é que muitos mexilhões, pressentindo a felicidade a passar por eles a toda a hora, já se cumprimentavam a torto e a direito com

«SALVE-O DEUS, NOSSA EXCELÊNCIA»

tirando o chapéu ao movimento geral que continuava a ser em marcha de procissão, esquerda-direita, *oremus*.

Alto!, cortaram os dê-erres quando muito bem lhes pareceu.

Ficou tudo suspenso. Sinos de boca a meia haste, patrulhas em sentido, chapeladas, tudo suspenso. Então, aproveitando a surpresa, uma embaixada de casaca e risca ao meio foi num instantinho às montanhas e trouxe de lá um imperador. Tratava-se, nem mais nem menos, do camponês nosso conhecimento, o dito.

Vinha magro e iluminado de tanto estudar, mas vestido de mestre. Porque o era.

Na parada dos doutores
os pedintes-voadores

O camponês mestre-doutor foi recebido na cidade com mil-milhares de bandeirinhas e foguetes de estrela e trovão. Fez o seu discurso, para muitos talvez o mais famoso, o mais lembrado, onde começou por citar a conhecida história da «Camisa do Homem Feliz», que é aquela que descreve a alegria de ser-se pobre e a difícil vida dos ricos. A seguir, coisa e tal, navegou em pensamentos de onda larga e a grande profundidade, fez duas abordagens na metáfora, apontou aos enigmas do amanhã – enfim, falou. E tal. Disse coisas.

Durante largos dias o Reino ficou constelado de florinhas de pólvora e de canas de foguetes riscando as nuvens. As cartilhas escolares salpicaram-se de histórias de muito exemplo acerca da honra da pobreza e das desgraças que acontecem fatalmente aos ricos, no outro mundo. Muito bem calados, os mexilhões pensaram: pobrezinhos, sim, mas honrados é que não – e o pior é que toda a gente ouviu.

Foi a partir desse momento que passaram a circular certos ditos venenosos que não faziam o menor sentido a não ser para os mexilhões. A cada instante nascia um mais maluco que o outro, alguns tão esparvoados que ficaram célebres logo ao primeiro dia, como aquele do «mais vale um rico na mão que dois pobres a voar» que não tardaria a ser proibido. Também era o que faltava que não fosse.

Os pobres não voam, tinha respondido o Imperador quando lhe vieram contar a estupidez do provérbio. Ou se voam é porque têm dinheiro para o bilhete de avião e são falsos pobres. Resumindo, tratava-se de uma calúnia sem ponta por onde se pegasse e ainda por cima gravíssima porque ofendia a classe dos humildes, já de si tão sacrificada.

Isto era no tempo em que a palavra de cada um não tinha valor oficial, ou se tinha mudava constantemente conforme os azares do Reino. Os mexilhões sabiam muito bem que era assim e fechavam-se na casca, segredando apesar de tudo palavras que logo apareciam espalmadas nos muros (mesmo nos muros mais frequentados pelas varejeiras do Paço) e que faziam perder a cabeça aos dê-erres. O Imperador não gostava mas fazia de conta. Palavrices, era como ele respondia àquela literatura de cal e pincel, palavreado para tapar o olho cego. (Ele próprio limpava o rabo aos jornais.) E lá muito para ele: Ou eu me engano muito ou esta gente ainda vai acabar com uma diarreia de palavras (ameaçava, puxando o autoclismo).

Tendo sido doutor entre os doutores, a especialidade da Alteza Imperial eram precisamente as palavras. Adormecera com elas no berço e agora que estava sentado a governar magicava num plano que pusesse o Reino a falar numa linguagem pura e severa, sal e estopa, uma linguagem que unisse o jovem ao velho, o rico ao necessitado, o caneta ao militar – ou seja, a dos dê-erres.

E vá de varrer decretos e caiar muros, vá de arredondar alíneas e enxertar jornais, compêndios, orações, o que calhava. Palavras correntes, mais vivazes ou menos próprias, fogueira com elas porque pingavam peçonha nas entrelinhas. Outras, quase esquecidas na mortalha dos pergaminhos, essas é que sim: convinha salvá-las da traça maçónica e lançá-las em circulação quanto mais depressa melhor, dizia o nosso Imperador.

No meio deste trabalho vinham pedir-lhe conselhos os homens mais poderosos da Comarca dos Doutores. Isso desgostava-o, como se depreende, não só porque era um atraso para o rendimento da nação mas também porque lhe fazia crer que as pessoas ainda estavam longe de avaliar a importância das palavras na construção da ordem e da consciência.

Por exemplo, uma vez apareceu-lhe o Patriarca do Alto Comércio e, caramba, o que ali ia, o que ali ia. O homem mostrava-se desnorteado:

«NÃO POSSO MAIS, EXCELÊNCIA.
OS EXCELENTÍSSIMOS MENDIGOS
TIRAM-ME O SONO COM
AS LAMENTAÇÕES.»

O Imperador encolheu os ombros e deu o problema por resolvido: quais mendigos, inadaptados é que o cavalheiro do alto comércio queria dizer. E

«INADAPTADOS SEMPRE EXISTIRAM
E CONTINUARÃO A EXISTIR
ATÉ NOS REINOS MAIS PRÓSPEROS.
DURMA EM PAZ.»

Atrás deste milionário em noite branca veio, admitamos, o Guerreiro-Mor do Reino. E se veio, esse como de costume despejava o recado duma penada e em posição de sentido:

«SENHOR MESTRE EXCELENTÍSSIMO
PERDEMOS MAIS UMA BATALHA
NÃO CONHECEMOS AS LEIS
DE GUERRA DOS INFIÉIS NEM
O CAMPO QUE ESCOLHERAM
POSSO-ME RETIRAR?»

Momento!, ordenou o Imperador. Depois, voz medida, dedo espetado, explicou ao Guerreiro-Excelência que batalha era luta entre exércitos devidamente registados, com patentes, estandartes e tratados de honra. Ora, tanto quanto era do conhecimento dele, Excelentíssimo, não acontecia assim com os infiéis, que não passavam de uma tropa fandanga sem capelão nem uniforme. Conclusão: não tinha havido batalha nenhuma. Militarmente, pelo menos.

«O OUTRO QUE SE SEGUE»

O que se seguia era o Tesoureiro das Arcas, às voltas com o eterno problema dos impostos. Impostos ou donativos?, perguntou o Imperador, insistindo na diferença. (Distingo, disse até, para ser mais claro.)

O das Arcas trancou-se nos ferrolhos da indecisão, mas Sua Alteza não perdeu tempo: mais impostos era-lhe impossível autorizar; donativos, sim, achava bem. Não via inconveniente em que fossem decretados donativos que só os indivíduos de maus sentimentos ou os inimigos da pátria se recusariam a pagar. E com gente dessa nada de contemplações.

Quanto tempo gastou o Imperador a perseguir as palavras que empestavam, dizia ele, o Reino? Meses e meses. Anos. O melhor da vida, o suor da insónia. Bandos de espiões batiam as ruas atrás da frase solta e do dito por dito, confrarias de mafarricos adejavam pelas entrelinhas dos compêndios, sacudiam a letra de forma e se fosse preciso esmagavam-na, davam-lhe jeitos, maneiras. A fala dos mexilhões era passada a crivo cerrado e havia orelhas de morcego a caçá-la nas pregas de cada sombra.

O Mestre é que não se dava por satisfeito. Queria melhor, cismava num remédio infalível que não podia dizer. Reunido no gabinete com alguns engenhosos muito dele, ligou lâmpadas e megalâmpadas, meteu cérebros electrónicos, olhinhos a alta voltagem e cabelos de platina; vozes cifradas; computadores de inconcebível crueldade. E ao ver o monstro a funcionar esfregou as mãos: agora sim, agora sim, a música ia ser outra. Seguidamente pagou aos engenhosos e despachou-os para o

OLHO DA RUA!

(Ou mandou-os matar, resta saber.)

Aquilo que até ali não passava de um gabinete de silêncio e mesa dourada iria ser conhecido por

A CÂMARA DE TORTURAR PALAVRAS

onde o verbo e o substantivo, a cedilha e restante população dos dicionários sofreriam tratamentos de último grau.

Segundo o esquema (que deve andar algures pelos arquivos ou nalgum microfilme em código-espia) a máquina infernal devia resumir-se a

a) Um grupo de registos de leitura que seguramente figurava nas Instruções Gerais como «Conjunto de Admissão» por ser através dele que as palavras entravam no circuito para passarem ao

b) *Sistema de Selecções Progressivas*, onde eram combinadas com outros vocábulos que actuavam como catalisadores ou «reagentes significantes». Por esta operação obtinham-se os sinónimos e as intenções mais ocultas de cada palavra;

c) *Grupo Complementar* que, *complementarmente*, informava sobre as raízes árabes, gregas, latinas ou de antepassados duvidosos;

d) *Câmara Alfa, Beta e Beta Um* em que as palavras, devidamente desdobradas nos seus significados, eram transportadas por uma rede de canais selectivos até às câmaras de compressão e síntese. O produto obtido, o resíduo, a sílaba, ia sendo anotado numa

e) *Fita de registo contínuo*, em código perfurado.

Isto numa ideia muito geral.

Penetrar no gabinete era impossível. Os únicos que tinham licença de chegar mais perto – os pares do Reino e um ou outro notável em visita – ficavam na sala do lado, onde reunia o conselho de excelentes, e esperavam pelo Imperador.

Em boa verdade ele já lá estava e há muito. De pé, atrás da cadeira presidencial. Numa estátua em tamanho natural.

A estátua

Vestidos a rigor de luto, os cortesãos esperavam horas diante da estátua, de chapéu na mão. Aquele Imperador de bronze recordava-lhes o jovem doutor camponês, Modéstia e Autoridade, que viera do nada para assombrar os mestres. Olhava para longe, erecto como um promontório.

Certos visitantes tocavam-lhe com o dedo: tinham à frente deles o Chefe!, o irmão-irmão, o gémeo; o que ficaria para os séculos, Saber e Autoridade, como um vasto eco de panteão à meia-luz. Sentiam um sossego de passado e de viagem naquela figura esverdeada, qualquer coisa de emissário do velho Império, de passageiro de galeão, representado na imponência da capa e das borlas de doutor que eram as mesmas dos nobres de há trezentos anos; as próprias feições, raspadas a aço de Albacete, tinham a secura sobranceira de quem viu mundo e não conta.

E na verdade ele conservava-se ali como um cristão de muita história, o último a abandonar os impérios revoltados e os delírios coloniais, e estava numa indiferença solitária, tal como o tinham encontrado as tropas em retirada. Nenhuma das estátuas do Imperador espalhadas na imensidão da selva e das capitanias tinha resistido à vingança dos rebeldes, só aquela. Os soldados atravessavam a floresta a sete pés na direcção da costa quando esbarraram com ela, estendida num leito de folhagem, à sombra (como contaram mais tarde) de uma abóbada de tamarindos e de morcegos adormecidos.

Nenhum deles, retirantes em desordem, pôde resistir a uma tão súbita presença e principalmente à soberania que comandava aquela figura de bronze, apesar de já amarrada de pés e mãos pelas ervas trepadeiras, apesar dos lacraus que se passeavam por cima dela e da merda dos morcegos. Apesar de, como notaram com estranheza, lhe ter sido arrancado um braço e, para mais, o direito – repararam a seguir – o da mão que assinava as sentenças. Aí perceberam

A LIÇÃO DA VINGANÇA.

Aquele sinal de punição aparecia como um aviso, uma profanação calculada, na serenidade de um corpo que a morte tinha em seu poder. E a morte, no parecer de um dos capelães da expedição, protegera a imagem mutilada revestindo-a de um sal verde, de floresta, vómito ou fel de bronze, que a tornava mais antiga e com manchas que faziam lembrar as chagas dos cadáveres sagrados. E além da mortalha de azebre havia um perfume funerário de sândalo e de hibisco a flutuar sobre o corpo e era um incenso, onda ou qualquer coisa muito nobre que (cf. Relatório Militar) repudiava para longe o respirar dos morcegos pendurados nas árvores, como trapos; os quais morcegos, escreveu ainda o mesmo capelão, compunham a abóbada dos infernos, impedindo que o olhar cego do grande ausente recebesse a luz do céu. E com tudo isto os soldados ficaram entre a urgência e a comoção, incapazes de uma primeira palavra.

Isto era ele, estava assim. E a coluna em debandada juntou-se em redor do Mestre e Soberano que, embora longe, na pátria, aparecia ali como uma visão de martírio, ostentando o braço decepado. E cada soldado, de seu impulso, logo ajoelhou nessa terra de excomunhão, e todos fizeram o sinal da cruz em nome do Pai, do Filho e do Espritossanto sem contudo chegarem ao Ámen porque, tomados de exaltação ou de piedade cristã, despediram selva fora em demanda do braço da estátua. Estes casos passaram-se e foram testemunhados. Tiveram lugar no lado de lá da Terranostra, a muitas léguas do Reino, por ocasião da perda da última feitoria imperial e na manhã duma sexta-feira, dia de São Bartolomeu e do Anjo Satanás.

O braço foram encontrá-lo, parece, espetado numa falésia como um adeus (ou como uma gargalhada do inimigo, pensaram alguns) quando estavam já à vista do mar com milhares de selvagens às canelas. Mas na passada da aflição não largaram o grande cadáver de bronze que traziam com eles e, mais, ao verem o braço a acenar-lhes lá do alto ainda arranjaram forças para lhe deitarem a mão. A bordo soldaram-no ao resto do corpo com pedaços fundidos das inúteis bocas de fogo e pelo que depois se viu não se pode dizer que tenham feito obra asseada, pois enganaram-se nos cálculos da liga e quando deram pela coisa nada a fazer: o braço tinha ficado maior do que o outro.

Assim restituíram eles o Imperador e assim o colocaram ali, em palácio, para valer de exemplo e recordar. Verde do suor do bronze, verde da selva e do salitre do mar, o braço da palavra, certas mudanças, Deus a perdoasse; e firmando ainda mais os olhos, desvairava: estátuas de carne não seria aquela a primeira, que se lembrasse havia pelo menos o milagre da estátua de sal – ou era confusão dele?

Bem certo que o missionário da vista delirante tinha a mania maior que o braço do coração, e com todas as corrosões do cativeiro.

Os cortesãos e os conselheiros sentiam-no cheio de passado e de silêncio, era o Mestre em versão de catedral. Demoravam-se a lê-lo, a decifrá-lo, aproveitando esse momento único de o poderem olhar de frente e muitos deles, se estavam sozinhos, falavam-lhe, diziam queixas; outros ensaiavam os seus discursos, fazendo desse primeiro encontro o prefácio à conversa com o Imperador real.

«EXCELENTÍSSIMA ESTÁTUA»,

começava o Governador da Ilha das Duas Casas, abrindo-se à sala deserta. E vinha com a conversa costumada: pedia uma nova emissão de moeda-osso visto que os nativos, por alturas da última seca, tinham engolido uma boa parte das que andavam em circulação; e porque torna e porque deixa era urgente reforçar o mercado, concluía o Governador sem vintém. O Imperador verde nem se dignava olhá-lo, de tal modo era distante e tão de bronze.

Com o Juiz das Causas Combinadas era tudo em fado barroco. Atirava-se ao discurso com aberturas de largos cumprimentos mas ao entrar no propriamente da matéria punha-se com sustenidos, muitos sins e mais que também e retirava-se às arrecuas, todo vénias. Saía em paz, julgava ele.

E como estes, mais. Até o Missionário da Alta Cruz, que padecia de cataratas e era um campeão em mistérios, até esse acabava por se perder na oração, perguntando se a estátua não teria realmente vida. É que lhe descobria certas expressões, de trazer episódios sagrados para animar o dia-a-dia dos mortais. Mas desta vez nem precisava de ir tão longe, bastava-lhe citar o caso dum general conspirador que, dias antes, ao ver-se diante da estátua foi tocado pela Revelação, não resistiu, e, catrapus, badalou tudo ao Imperador. Facto histórico, facto militar e histórico. O arrependimento andou na boca das casernas, subiu aos tribunais, deu em louvor e em juras para todo o sempre e teve lugar ali, entre aquelas quatro paredes. Que lhe teria dito a estátua?

NADA,

a estátua não disse nada, está-se mesmo a ver. O cornetas do general é que, enquanto esperava pelo Imperador, começou a desconfiar da demora e a empreender, a empreender, e às tantas já sonhava com folhetins de traição, espiões de todas as patentes, segredinhos a bichanar e forças no horizonte. E ele no meio, ele com um grandessíssimo par de chavelhos, que é o que acontece a quem fica no quartel em noites de baile geral.

Durante a espera na sala da estátua teve tempo para tecer os mil e um pavores que acontecem a um cabo de guerra quando se encontra à vista do tribunal, pois é sabido que tanto lhe podem pôr o colar da condecoração ao pescoço como o baraço da forca. E lá estava ele: outra vez a forca, já era mania.

De qualquer maneira via-se só, isso é que não oferecia dúvida. E pior que só, vigiado pela estátua que se mostrava feroz, ferocíssima. Tinha um não sei quê de desprezo que não enganava ninguém. Na boca, principalmente; a boca, descobriu o general Cornetas, parecia traçada à faca, era um gume de desprezo. Ou de nojo, emendou. De impiedade. Vingança.

Coragem, disse ele voltando-se para as estrelas da farda. Que diabo.

À segunda hora de espera já tinha o mapa da situação estudado com toda a serenidade dum militar sitiado e não havia sombra de dúvida, o Imperador sabia o que nem ele sabia e preparava-se para aproveitar a revolta e passá-lo à reserva dos cadáveres

«MAS ISSO AÍ MAIS DEVAGAR!»

protestou o general no tom do honrado que está disposto a vender cara a pele. Era um especialista em batalhas de vaivém e como tal sabia recorrer à defensiva por antecipação. Perder a tempo é meia vitória ganha, disse; e pôs-se a pensar.

Pensou depressa porque, vendo isto e mais aquilo, e com mais pró e menos contra, o golpe só podia ser um; precisava era de o ensaiar bem ensaiado e já.

Avançou para a estátua; compôs o rosto, compôs a voz. A seguir perfilou-se em torre-e-espada e, olhos nos olhos do Imperador de bronze, entregou-lhe de mão beijada

A CONFISSÃO:

Eu, cavaleiro dê-erre de primeiro grau, declaro por minha honra que tomei parte com animus conspirandi em reuniões de charuto e mascarilha com vista à transformação da ordem do Reino. Ponto final, parágrafo.

Mais declaro que dessa conspiração não podia resultar em caso algum o menor dano ou substituição na pessoa e no cargo do Imperador Excelentíssimo, nosso Pai, Mestre e Nação. Sublinhado *menor dano* e nova pausa.

Com efeito, continuou o cavaleiro Cornetas, o objectivo dos descontentes era eminentemente patriótico e civilizado, como se pode verificar pelo respectivo esquema das operações que foi, todo ele, inspirado em altos ditames humanitários de tolerância e cristandade e em tiros nem pensar. Assim,

1.ª fase: A certa hora de coruja, entre o fecho do programa da televisão e a entrada para as oficinas, seriam trocados os sinais de trânsito, marcos quilométricos e indicativos de todas as povoações que ligam a Capital à Cidade Segunda deste Reino. Onde se via seta para ali, punha-se seta para acolá; onde estava Norte marcava-se Sul; onde aparecia Vila ou Cidade colocava-se a placa de uma aldeia em casa do diabo mais velho. E assim pela noite fora.

2.ª fase: Baralhada a geografia, seria comunicado aos quartéis da Capital que na Cidade Segunda havia bernarda e era preciso acudir. Aos da Cidade Segunda dizia-se o mesmo em vice-versa.

3.ª fase: Activos e de espoleta pronta, como é da sua tradição, os dois exércitos do Reino viriam dum lado e doutro mas nunca chegariam a encontrar-se por não lhes ser possível ajustar os mapas ao terreno do país.

4.ª fase: Enquanto os exércitos andavam a sonambular por fora de casa, os conspiradores tomariam conta da Capital com bons modos, fechando os ministros à chave...

O general Cornetas não teve tempo de terminar a revolução. Sua Alteza acabava de entrar e nem bom dia nem boa tarde, sentou-se à cabeceira da mesa:

«SABER E AUTORIDADE,
VAMOS À ORDEM DO DIA!»

De pé, o irmão de bronze ficou a guardá-lo pelas costas, cabeça levantada.

Dr ... rrrrr!

Naquele Reino da Comarca dos Doutores, o dê-erre, Dr, R-D, Herr D, Senhor D ou Senhor Dom, distinguia-

-se à légua dos restantes mexilhões pelo porte de todo contentinho com a sua pessoa, pelos tons escuros com que revestia o corpo e pelo cantar inconfundível, que era esdrúxulo e gargarejado.

Filho e neto de camponeses que enriqueceram e que em ricos foram e em ricos seriam sempre camponeses, este exemplar preferia o habitat das secretarias e dos purgatórios do carimbo onde tudo obedece à ordem natural dos impostos. Deslocava-se com solenidade difusa à custa do canudo de bacharel que manobrava como um apêndice perfurador para abrir caminho nos subterrâneos dos decretos e que ao mesmo tempo lhe servia de membrana extensora do aparelho bucal. Ávido e depredador, nisso ninguém o batia. Contudo, dotado de apreciável sentido colectivo, observam os especialistas – e não admira: na luta contra a maioria dos mexilhões vulgaris Sp, o dê-erre fazia barreira ao lado dos restantes irmãos da espécie, espadeirando com o canudo do diploma e entoando decretos até à confusão.

Também era por natureza «instável e desconfiado» (anotou um curioso de passagem pelo Reino) e como em toda a coroa imperial não havia senão l-Único Mestre que tudo lo podia e tudo lo mandava, cada dê-erre andava a enganar os outros fingindo que era o mais importante a seguir ao Chefe, conforme se pode ver pelo conhecido parêntesis

«O VOSSA EXCELÊNCIA NÃO SABE
COM QUEM ESTÁ A FALAR»

que todo o gato-sapato metia na sua pessoa em conversas de coisa nenhuma.

Mas a doença do mandar mais era como o arroto sem vintém, ao primeiro azar sufocava. E os dê-erres, muito discurso, muita Excelência, muita Ordem e Faz-Favor, mas assim que lhes caía uma pedra de granizo fora das regras do Borda d'Agua, espinoteavam, viam dilúvios, mosquitos por cordas, e não sabiam onde se haviam de meter. Aconteceu isso quando os bárbaros impacientes ocuparam determinada ilha fora do mapa, que por acaso era a mais caprichada da Coroa. Foi assim:

Uma vez, estavam os dê-erres muito satisfeitos da vida a passear no Reino, quando estalou a notícia de que a dita caprichada ilha se tinha revoltado.

Os dê-erres, com mil diabos, subiram às paredes; houve missas, paradas, discursos de protestar.

VINGANÇA!

mas os bárbaros até se riam. Quanto mais eles assopravam em nervoso miudinho mais a ilha se afastava, de vento em popa numa festa de zagaias.

Foi então que se ouviu a voz do Imperador: Que era aquilo, que era aquilo, criaturas turvadas de razão? Dê-e-erres e cortesãos deram um passo atrás e puseram os olhos na Praça dos Acontecimentos donde tinha vindo a voz.

«A ILHA NÃO SE PERDEU»

anunciou o Mestre – e pausa. A nação estava toda ouvidos.

«A ILHA ...»

(pausa e mais ouvidos)

«... ESTÁ MAIS PERTO DE NÓS DO QUE NUNCA!»

Oh, alegria, oh, vitória. Os dê-erres abraçaram-se, aplaudiram, trocaram parabéns. Mas daí a pouco punha-se-lhes a questão: Mais perto, onde? Mais perto do coração, seria? Começaram a baixar as cabecinhas, a murchar.

O Imperador então foi como se tivesse adivinhado. Do alto da tribuna estendeu o braço na direcção de duas casas no extremo da cidade: Acolá, disse.

As cabecinhas, tocadas pelo sol da palavra imperial, desabrocharam e seguiram o traço de luz que o Mestre lhes apontava: Acolá. O Imperador tinha mudado para ali o Governador humilhado, o capitão vencido mas não convencido, o juiz de palmatória, o padre, o médico, e meia dose mal servida de indígenas de rabo pelado. A Ilha. Estava ali a Ilha,

«QUE TODOS TOMASSEM NOTA.»

Disse e voltou para o palácio, para as palavras.

Todos tomaram nota e a Ilha passou a ser na cidade e não onde queria a geografia. Limites: a norte o largo do chafariz, a sul e a nascente o jardim zoológico com a variedade da sua fauna característica, a ocidente um campo de futebol, e mais para diante, mar. O extenso, o pródigo e venerável mar.

A partir daqui, atenção escolas, atenção cartógrafos, atenção navegantes, havia que corrigir
a população, que era de oitenta e três nativos, todos funcionários,
o clima, menos húmido que antigamente,
e *a divisão administrativa* em dois distritos autónomos com as respectivas comarcas distribuídas pelos andares dos prédios. Existia ainda uma zona independente – a de maior densidade florestal – ocupando a garagem e os terrenos baldios das traseiras (ainda por demarcar) e um enclave de dois pisos onde funcionavam os serviços missionários, a comissão da caça grossa e as brigadas contra o sono tsé-tsé.

Por aqui já se pode avaliar o exemplo de civilização que era a Ilha das Duas Casas, rodeada de cidade por todos os lados. Pérola serena, bandeirinha na imensidão, eis o que ela lembrava. Mas para que tudo ficasse como dantes, o Imperador ordenou que as salas fossem forradas com enormes fotografias da paisagem de cada distrito, de modo a que os indígenas não estranhassem a mudança. Pôs também palhotas: duas por cada quarto; nos corredores plantou capim e palmeiras de plástico transformando-os em caminhos de sertão. Que mais faltava?

Os pássaros, faltavam os pássaros, esses mensageiros franciscanos que alegram a natureza e despertam a inocência. Onde estavam eles, os pássaros? Resposta: no lugar que lhes competia – entre a folhagem. Havia-os de porcelana e em plumagem de nylon e, já agora, puseram-se também macacos embalsamados para animar a ramaria. Nas paredes insectos fluorescentes de luzir à noitinha; pelos cantos serpentes a jiboiar. Em matéria de som, a fidelidade era de deitar por terra um explorador de cem carabinas – vinha todo do natural, gravado em fita magnética: choro de hienas, roncos de leão, macacadas barulhentas; o tritrinar das aves e o cascalhar dos riachos; tambores ao longe. O essencial.

Cada habitante tinha por dever andar de tanga dentro dos prédios e falar o dialecto da respectiva região. Assim ajustava-se melhor à paisagem e aos climas que continuavam a respeitar os horários do outro hemisfério, com monções e tudo. Verdade, as monções eram essenciais. Para esse efeito utilizavam-se uns engenheiros alucinados que na altura dos equinócios inundavam os prédios a jacto de mangueira, derrubando algumas palhotas para exemplificar.

«AMANHÃ HÁ MONÇÃO»,

avisava o porteiro, e era infalível porque já tinha topado os engenheiros da mangueira a rondarem o bairro.

Este porteiro, além de porteiro propriamente dito, fazia de Alfândega e de Polícia das Fronteiras. Uma vez que a Ilha das Duas Casas continuava a usar a moeda local – os vinténs de osso, conhecidos por «vinténs selvagens» – tinha de impedir que a misturassem com o dinheiro do Reino que era de vinténs, sim, mas dos civilizados. Fugas de divisas só trariam prejuízos a ambas as partes e por isso os indígenas deviam ser revistados quando saíam para as compras ou para irem ao cinema.

A teia das palavras zumbia em fios sensíveis e de transaltíssima tensão; devorava palavras, sugava-as até à última sílaba, até à letra, ao acento – e bem na ponta, bem no nó, estava o Mestre. À espreita atrás duma secretária com pernas de leão de ouro e tampo de plumagens lavradas. Sobrevoado por electrões errantes.

O seu covil era ali: pzzz... pzz... canais, pzz... sons de alarme, computadores a maquinar, e ninguém o interrompesse. O povo lembrava-se dele pelos retratos oficiais e pelos bustos de jardim ou, mais dificilmente, pelas notas de banco que traziam a cena histórica do *«Imperador entre os Doutores, Saber & Autoridade, moeda-ouro»*. Poucos, raríssimos cidadãos podiam entrar na torrezinha onde ele se tinha fechado a sete chaves, todas de segredo e cada qual com o seu nome:

Chave da Força, a mais pesada.

Chave das Bênçãos ou dos Santos Óleos, trabalhada a ouro e a incenso.

Chave do Comércio, modelo universal.

Chave dos Espiões ou Gazua da Inconfidência.

Quinta Chave, também chamada das Alianças, para uso dos estrangeiros de boa vontade.

Chave do Suborno, a de mais voltas.

Chave dos Caprichos e Acasos, pessoal e intransmissível.

Conforme a pessoa, assim a chave que lhe dava entrada na torre.

Parece que, com o andar dos tempos, os conselheiros criaram também as suas chaves para receber os cavalheiros abaixo deles. Estes fizeram o mesmo em relação aos mais abaixo que, por sua vez, inventaram logo outras chaves para os ainda mais abaixo, e nesta cegarrega – chave que abre a chave da chave – até os contínuos de repartição, eternamente a bocejar as horas, tinham as suas chaves minúsculas que nem por isso deixavam de ser muito úteis.

O reino desdobrava-se num imenso arquivo de gavetas a abrirem-se umas às outras.

Não menos importantes eram certas palavras que se usavam para abrir portas e discursos. Bem manobradas, valiam como gazuas de ouro, feliz de quem as soubesse usar. *Ordem*, nem se discutia, era infalível; *Destino, Mortos, Heróis* obrigavam a tirar o chapéu; *Fidelidade* salvava a frase mais comprometida. Havia mesmo expressões que só cabiam na boca dos dê-erres porque tinham esplendor a mais e não suportavam certas pronúncias.

E cá veio a gente dar às palavras. Como sempre. «Com palavras e com moscas povoa a miséria o Reino», rosnavam os mexilhões descontentes, os Pedintes Voadores. Mas o Mestre tratava-lhes do desconversar, queimando diariamente uma boa porção de palavras que lhes faziam falta. Queria o Reino lavado de termos menos legítimos e da frase enviesada ou de dois bicos, e ia conseguindo. Não tardou muito os dicionários estavam no nervo e os mexilhões já só falavam pela calada.

«GENTE DISCRETA»,

escreveram alguns trotamundos que fizeram carreira na época, entre os quais João Bule das Inglas, François Le Sensitive, da Gália-à-Noite, e o piemontês Doménico Ecuménico, frade dos anos bissextos. Passaram, viram e registaram. Nunca por nunca ser se houvera notícia de povo tão poupado de falas nem de Soberano tão nelas comedido, já que por razões de governo, sageza, etecétera, and so on, vivia em ermitão e se furtava à voz corrente com suprema austeridade. Chefe discretíssimo, com efeito. Se bem que sempre excelentíssimo, acrescentaram.

O que os viajantes trotamundos não sabiam era que, na cegueira de perseguir as palavras, Sua Alteza iria cair encerrado no casulo.

Visitas, não recebia – dispensava. Conversas nem a sonhar: falar, falava ele mas a sós, para o gravador, e em discursos de ogiva larga. Ditava-os à boca da teia devoradora, iluminado por descargas eléctricas e vibrações, e as ideias saíam-lhe em circuito fechado e em frases de alta intenção. Escutava-os sem se cansar ou, melhor, escutava-se. Seguia-se com ouvido diurno e nocturno, com o ar do Mestre que segue o Discípulo e o Discípulo continha o Mestre e o Mestre estava no Discípulo e eram uma única e só pessoa representada pelo verbo. Verbo, com letra grande.

Os conselheiros e os bacharéis também moldavam a palavra pela palavra do Imperador, sem se aperceberem muitos deles. Outros era de propósito.

A-COCO-RA-DOS

diante da campânula do gramofone his master's voice giravam os discursos do Dinossauro para lhe apanharem o toque e a gramática, a vírgula sonora. Curso ardiloso, eles que o dissessem: vinha todo em rotações maneirinhas devido ao subentendido e à análise em espiral.

Foram tempos heróicos aqueles, a nação jamais poderia esquecê-los. Tempos em que ilustrados pioneiros desbravavam o matagal tempestuoso das palavras correntes, procurando fazer brotar uma língua de pátria, solene e regrada, há lá coisa mais bonita. E os bacharéis enfrentavam a missão, viviam num solfejo permanente. De dia praticavam, repetiam o estilo Dinossauro nas repartições e nas academias e até na cama com as amantíssimas. Ao serão estudavam: fechados de cócoras, agarravam-se às grafonolas, girando o Curso Saurofone até ao derreter da agulha. Não sonhavam sequer que nas suas costas já os Pedintes Voadores tinham disparado mais um provérbio dos deles e esse tão disparatado, tão intriguista e tão invejoso que, francamente, era de mais. Só isto: «Burro que aprende línguas esquece o coice e pede o dono.» Um despropósito.

O que vale é que as vozes de pedinte não chegam ao céu e os doutores aprendizes já iam muito alto para as poderem ouvir. Percorriam um caminho todo histórico, a escalada para a voz imperial, e mesmo que as ouvissem nada de desencabrestarem. De beiço estendido (para afinarem a pronúncia) e de orelhas em riste (para apanharem a entoação) subiam pelo Discurso acima em rotações apertadas, tentando atingir o cume, o cristal donde ele irradiava. De caminho afiavam os cascos da unha nas raízes do dicionário e nos vocábulos rasteiros; esmagavam as palavras que o Imperador ia abatendo no gabinete, desenterravam outras, as mesmas que ele tinha ressuscitado. Nos silvados da retórica tasquinhavam com alegria, retórica era com eles, mas logo adiante empinavam-se à beira dum precipício em branco que era nada mais, nada menos que um dos apreciados silêncios do pensamento em que o Mestre se tornara useiro e vezeiro. Para sair dali só dando a volta precisa, a tal. E eles sabiam-na, tinham aprendido.

Mais para o finalmente, quando pouco havia que aprender, os dê-erres deram-se por afinados e foi um varrer de feira. Lançaram-se à rédea solta pela escrita do país, levantaram poeira e cascalho nos terreiros da televisão, praças públicas, academias, caíram em cima dos jornais da cidade e de toda a folha-de-couve da província. Era vê-los, era vê-los, aos doutores amestrados. Corriam de dentes no ar e discursavam em dinossauro rigoroso.

Já ensinavam os mexilhões-avós que fingir de cego é virtude de quem vê de mais, e o Mestre devia ser desses. Lendo e ouvindo os bacharéis albardados com as frases imperais, não se dava por achado. Eles ainda menos. Desenterravam datas, palitavam jantares, descobriam inaugurações e pretextos de meia-tigela para molharem a sua palavrinha de hora e tal. Repetiam-se uns aos outros, repetindo os conselheiros que repetiam o Imperador que estava no início das palavras. Chave que abre chave, discurso que abre discurso, quando é que aquilo teria fim?

Teve. O povo deixou de ouvir o Mestre,

QUE INGRATIDÃO!

Crise de público, havia crise de público em todas as nações, justificavam os dê-erres. Mas com o Imperador mais cuidadinho, ele nunca admitiria que o pusessem a falar para as paredes da Praça dos Acontecimentos e para três ou quatro ramalhetes de bacharéis mais os jarrões dos conselheiros. Nesse caso, do mal o menos, foram-se buscar uns aldeões especiais que havia em Cu de Judas e pronto, palmas ao Imperador. Infelizmente tratava-se de uma malta tão adormecida que quando a iam desaninhar aos impossíveis e a punham diante do espectáculo da capital ficava de boca aberta e só a tornava a fechar quando recebia novamente o ar puro das montanhas.

Trabalhar com semelhantes indígenas correspondia a bater no vento, catequizar as moscas. Eram analfabetos convictos e expedicionários, que se comportavam como rebanhos nocturnos em viagem para o tanto se lhes faz. Dir-se-á que vinham acompanhados do indispensável prior da freguesia, do sargento reformado e da professora Minha-Senhora, o que, enfim, sempre podia dar um certo brilho à excursão. Mas mestres-escolas, clérigos e tarimbeiros não adiantavam muito para o caso, só vinham à capital para visitar parentes.

De qualquer maneira era o público que se arranjava e

VIVÒ VELHO!

Palmas.

O Discurso Fatal

Vinte e quatro horas antes de se declarar o discurso, os do Cu de Judas iniciavam a marcha sobre a capital em formação de autocarros de aluguer. Vinham de mochila aviada – pão fresco, o vinho do alpendre, a galinha mártir tostada a preceito, a navalha de talhar na palma da mão – e por aí já demonstravam a sua qualidade de sapadores individualistas e auto-abastecidos. Depois, traziam estandartes das regiões onde tinham sido recrutados,

«MUI NOBRE E LEAL ALDEIA DOS CONFINS»

lia-se num,

«FREGUESIA DOS CALHAUS, PRESENTE!»

lia-se noutro, e à mistura carregavam vários pendões de igreja com o coração do Redentor pintado a chamas do purgatório sobre trevas de cetim. Era à volta destas bandeiras que eles se concentravam na hora do desembarque, como vultos escorridos, despontando para o amanhecer.

Pouco a pouco, à medida que a cidade ia aparecendo à luz em corpo inteiro, percebia-se como eram secos e escuros; como mantinham reserva e se mostravam receosos, se bem que obstinados. Não tinham ar de invasores, não se emboscavam. Como única camuflagem traziam, e nem todos, uma flor de papel espetada na lapela porque vinham fardados de domingo e feira, certamente para caírem bem aos olhos da população local.

População? Mas qual população? Os transportes andavam vazios, preenchendo horários, o comércio tinha fechado (e muito bem porque em dia de Discurso não se cantam mercadorias), os cais onde se alinhavam os mexilhões estavam desertos, entregues aos caranguejos. Qual população?

A CIDADE TINHA SIDO OCUPADA SEM RESISTÊNCIA.

Os camponeses deslocavam-se em grupo. Batiam as ruas, o comércio luminoso, sob o comando do prior ou da professora Minha-Senhora que lhes iam dando esclarecimentos acerca do museu de progresso que estavam a percorrer, ele e ela contentíssimos por provarem àquelas abéculas como é ignorante o homem do interior em relação à vida da capital. Mal sabiam os abéculas que nada daquilo era a vida da capital, pois em datas de Discurso os habitantes da cidade emigravam para o campo e os camponeses é que aproveitavam a excursão do Estado para ver as montras e o mar e se possível mulheres pintadas, marafonas. Deviam ficar um tanto intrigados por não encontrarem senão ranchos de provincianos, fardados igualmente de romaria. Viam-se a eles e a outros como eles, tropa de aldeia, e já não era mau. Em frente, mandava o dever.

Cansados de olhar e palmilhar, cheirando a vento e a montanha, atingiam, sãos e salvos, a Praça dos Acontecimentos na Hora H em que Sua Alteza subia à tribuna para abrir o discurso com

SABER E AUTORIDADE.

A voz nascia da tribuna, vinha do alto, ou ia para o alto, lançada pelas bocas de um coro de altifalantes apontados às nuvens do inconcebível; era uma voz perseguidora que estava atrás e à frente e por cima também; voz maior, VOZ, emoldurada em palmas. Alinhados em esquadrões, sol e estandartes, os peregrinos esticavam o pescoço a procurar seguir-lhe o traço pelos caprichos das alturas. Percebiam e não percebiam, pouca coisa, quase nada, dados os seus fracos conhecimentos do dialecto dê-erre.

«IMPERADOR! IMPERADOR! IMPERADOR!»

Seria o cúmulo da estupidez pensar que o Mestre se deixava iludir com os analfabetos em peregrinação, acreditando que eles estavam de boca aberta para lhe beber as palavras e que depois de as terem bebido as calcavam com vivas para as guardarem no fundo da consciência, bem guardadas. Qual quê. O Imperador estava mais que bem informado da sonolência dos excursionistas do Discurso mas queria amarrá-los com a voz. Isso é que sim. Queria, teimava, e encontrava-os apardalados, sempre mais distantes. Até que um dia sentiu a saliva a incendiar-

-se perigosamente na língua e antes que secasse de vez cortou o discurso.

«PRESCINDO»,

disse. (O que em dê-erre elementar significava que se estava nas tintas.) Fechou-se no palácio, e praças públicas passai bem, que tinha mais que fazer.

TEVE.

Prescindindo dos homens – péssimo sinal – voltou-se para a História e para o Cosmos na generalidade. Agora, sentado à secretária dourada, estendia a voz para muito longe:

«ATENÇÃO, MUNDO! BONS DIAS, PLANETAS!»

Desiludido com os camponeses excursionistas e com os mexilhões da capital (que eram excursionistas ao contrário porque emigravam para o campo assim que lhes cheirava a discurso) o Imperador entrou portanto em capítulo universal. Ofereceu desinteressadamente o melhor da sua sabedoria às nações e aos mundos em redor. Aconselhou, repreendeu. Pediu bom senso e cantou a paz dos continentes. Trabalhou como um danado: minando e congeminando, convocando planetas.

A voz era gravada no gabinete e seguia direitinha para os poderosos de aquém e de além-Terra em fio de tétele-x-e-telégrafo, passo à escuta, traço-ponto. Às vezes levava tal balanço na mensagem que ultrapassava tudo e entrava em órbita, mas jamais se perdia: ficava a perdurar como um eco... ecooo... da cristandade nos desertos de galáxias e poeiras luminosas.

Os mundos e planetas é que nada, nem um obrigado lhe mandavam. Deviam andar fora do comprimento de onda do Mestre que, como Dinossauro legítimo, não desistia assim às primeiras. Sabia esperar, tempo ao tempo. E enquanto não começavam a chegar respostas ouvia a sua voz – para confirmar. Encontrava-a logo de manhãzinha traduzida em grandes títulos nos jornais da capital, embora ele não desse grande confiança a essas andorinhas diz-que-diz; a rádio e a televisão repetiam-na acompanhada de marchas invencíveis, andava nos boletins dos campanários e em banda desenhada; ouvia-a na boca dos locutores e nos discursos tal qual dos dê-erres. A voz saía e voltava a ele, reflectida.

No gabinete

entre o discurso e a caça às palavras é que o Dinossauro cumpria o seu reinado. Escrevia e vigiava, à sombra do retrato oficial que tinha em cima da secretária e sempre guiado pela sua voz dentro dele. Mas se abrisse a porta podia continuar a ouvir-se, desdobrado pelos altifalantes que havia nos corredores e na sala ao lado onde estava a estátua que era ele mesmo em corpo histórico.

Havia um frio de eternidade naquela teia de circuitos, uma aragem de zumbidos metálicos, e o Dinossauro, atrás da secretária dourada, sua varanda, suas patas leoninas, parecia um sonâmbulo pousado num sonho desértico. Não dormia há séculos, dizia-se dele; outros garantiam: repousa vivo à margem da morte, que é a linha donde se vê mais claro. De quando em quando as nervuras da teia estremeciam, suspendendo uma gota metálica:

TINHA CAÍDO UMA PALAVRA.

Olhos astutos, impassíveis, o Mestre seguia-a a ondular num quadro de luz, traduzida num ponto, crescendo sílaba a sílaba, ora a comprimir-se ora a inchar, correndo, nervosa, num sulco eléctrico. Os computadores vomitavam fitas perfuradas: ia ali o registo, a denúncia duma palavra em toda a sua biografia, antecedentes, raízes familiares, duplos sentidos, tudo; era uma vida inteira a desenrolar-se em renda de códigos. E de repente, se fosse caso disso, o Imperador saltava do seu poleiro dourado com uma agilidade assustadora e devorava-a. Algures, nesse momento, um mexilhão tinha perdido a voz.

Mas, perguntou ele um belo dia,

«E A PONTUAÇÃO?»

Bem perguntado: a pontuação nas mãos dos mexilhões anarquistas podia muito bem ser usada como rasteira. Mais que certo, ou alguém desconhecia que uma reticência jogada a suspender a frase não serve muitas vezes de rastilho para conclusões inconfessáveis? E a exclamação? Haverá melhor pingo de mel ou granada mais a prumo do que um ponto de exclamação?

O Imperador tinha visto muito bacharel tropeçar na vírgula e não chegar ao fim da oração; ou passar sem dar por ela e perder o fôlego antes do ponto final, o que não era menos desastroso. Entre os imbecis mais contentinhos da Comarca havia meninos e meninas que se perdiam nos parênteses e para lá ficavam, entalados entre duas conchas; e também não faltava quem, para desorientar o parceiro, roubasse na pontuação. Não era urgente pôr cobro a isto?

Dinossauro tomou providências, decretou. Entendia que uma ordem de guerreiro exigia dois pontos de exclamação por razões de autoridade e de ressonância do brado; reticências eram disfarces do tímido; alíneas os ornamentos do jurista – nos pequenos nadas é que se via onde estava a ordem. E em pensamento reforçou a palavra com três pontos de exclamação tão firmes que valiam por uma escolta de baionetas:

ORDEM!!!

Lá ia o tempo em que os jardins da escrita eram um paraíso em lantejoulas de tremas e de reticências e em que o til, essa borboleta, andava em liberdade beijando as vogais da infância. Tempo bom?, tempo mau? Num sonho mais desgarrado (se é verdade que lhe era possível sonhar) o Excelentíssimo viu-se a cavalgar um parágrafo de desenho gótico, enorme como um gigantesco hipocampo, e entrar com ele num rio de águas fumegantes. Levava um camaroeiro que em séculos tinha sido o barrete de malha dum capitão cruzado e pescava vírgulas com ele numa abundância que o assombrava. Pescava-as mas não tinha onde as guardar porque sem saber se afastara para longe, montado no hipocampo-parágrafo e o hipocampo, afinal, ia cego (ou morto, não se percebia bem), ao sabor da corrente.

No meio disto desabou sobre ele e sobre o seu cavalo-marinho uma chuva de pontos de exclamação, um disparar cerrado de setas de guerreiro, e logo a seguir, começaram a passar enormes soldados de pedra, deitados à tona de água como figuras tumulares. Passou um, passou outro, outro e mais outro, levados na corrente fumegante, e eram o que se podia chamar um exército de monumentos à deriva.

Dinossauro, quando acordou e se viu sentado à mesa dourada, admirou-se de ter sonhado e principalmente da nitidez com que os guerreiros de pedra se cruzaram com ele, atravessando o fumo à flor da água. Diz-se que se afastou para a sala ao lado e que passou lá a noite, como acontecia sempre que tinha pressentimentos e ouvia ruídos de naufrágio nos ossos. Nessas ocasiões (diz-se também) tinha o costume, muito dele, de passar o braço pelos ombros da estátua e ficarem ambos, irmão com irmão, voltados para a mesa das reuniões. Diz-se, nada garante; diz-se muita coisa. Mas isto do sonho fica entre parênteses, é um desvio no essencial do longo discurso do Imperador.

TEMPOS DEPOIS...

Tempos depois quem visse os dois imperadores lado a lado, o de bronze e o das faces de cera, perceberia os desgastes que a idade tinha trazido.

Dobrado anos a fio à secretária, o Mestre tinha criado corcovas que lhe ondulavam o dorso de cima a baixo e ganhara um andar curvado e vigilante; e como escrevia com ódio às palavras, murmurando-as e roendo-as ao correr do aparo, os lábios foram-lhe desaparecendo. A boca não passava de uma cicatriz, salvo seja, e os dentes estalavam em escamas. Um bicho.

«JESUS, COMO TU MUDASTE»,

diria a mãe se fosse viva.

A boca, também, era o menos, já que com a idade foi ficando escondida atrás dum nariz em perpétuo crescimento. Porquê? Por humores do interior que a medicina não cura ou, mais simplesmente, porque a lei da gravidade não perdoa (diz a ciência) e o Mestre, sempre de cabeça baixa, sofreu-lhe as consequências, o nariz foi pendendo, pendendo, até dar naquilo. Já não era nariz, era monco e depois nem monco era: uma crista a meia cara ou coisa assim.

Os conselheiros não achavam uma desgraça por aí além. A testa imperial engrossara, era um facto, mas devia ser a pressão das ideias, as famosas bossas da inteligência. Ao braço gigante chamavam-lhe O Sacrificado porque era a alavanca da mão da escrita, sempre a assinar. Quanto às corcovas, sábio fora São Francisco das Avezinhas e também as tivera e grandes.

Entretanto o Mestre, pata arrastada, monco pendido, avançava assustadoramente pelos desastres dos anos com os olhos postos na estátua da sua primeira encarnação. Nunca alguém lhe diria que há muito tinha perdido o traço humano e que já projectava para longe uma sombra de monstro de solidão, dorso ondulante, a errar por paisagens crepusculares de cinza e metal.

Realmente, qual não seria o desgosto dele (e do Reino) se um dia se visse dinossauro-dinosaurus nos retratos dos jornais e na moldura da televisão?

Assunto a pensar, murmuraram os conselheiros, assunto a pensar. Jornais e televisão punham o que se lhes mandava, ora essa; para isso é que havia os arquivos da aldrabice e das datas em repetido. Mas o Mestre? Qual não seria o desgosto dele, se se visse dinossauro na mais triste intimidade?

Estavam neste engonhar de cautelosos quando chegou a notícia dum mágico que fabricava espelhos de formosura e sonhava a cores, com borboletas. Não foi tarde nem foi cedo, encomendaram-lhe uma boa dúzia deles que transformassem a imagem do Dinossauro em imperador novo.

Este cavalheiro das mágicas, com o seu feitio apátrida e visionário, tinha feito fortuna em tempos que já lá foram levantando palácios de espelhos nos luna-parques do el-dorado e em grandes circos coloniais, mas vendo os indígenas a encherem-lhe o chapéu de ouro e de pedrarias para se olharem em caricatura, em bobos redondos ou em carantonhas descomunais, este apóstolo da beleza teve a sua hora de arrependimento e pegou na receita ao contrário. Criou então os espelhos de formosura, maldita hora.

Colocou-os, não em barracões de gargalhadas, como os outros, mas ao ar livre, nas matas de loureiro-rosa e com araras de cauda pendente pousadas ao canto das molduras. Foi mal compreendido, para seu grande espanto. Cuspido a seguir; apedrejado depois; e só mais tarde percebeu que aqueles espelhos eram um insulto à natureza defeituosa dos visitantes. Éramos felizes, Satanás, gritou-lhe um dos clientes mais fiéis dos espelhos grotescos. Éramos felizes e escorreitos quando nos punhas aquelas carantonhas à nossa frente e agora atiras-nos com a imagem do impossível. Some-te, Satanás dos olhos de anjo.

O dos espelhos levantou voo dali para fora, envolvido em araras. Alguém o descobriu muitos anos depois a viver num pardieiro dos quintos dos infernos, na companhia fiel das aves da sua perdição, que agora estavam embalsamadas e numa berraria de cores loucas. Quando os conselheiros o foram lá desencantar dedicava-se a pintar uma delas pela milésima vez para a transformar em ave-do-paraíso. Deixá-lo, era lá com ele.

Com os espelhos de formosura a vida do palácio animou-se um tudo-nada. Logo de manhãzinha o dorso ondulante deslizava de sala em sala, de corredor em corredor, e o Dinossauro dava os bons-dias a si mesmo:

«ESPELHO, FIEL ESPELHO, ONDE É QUE
ALGUÉM DESAFIOU O TEMPO COMO EU?»

«NINGUÉM, SENHOR, NINGUÉM. PALAVRA
E VIDA REGRADA FAZEM O SÁBIO IMORTAL»,

respondiam os espelhos ensinados.

A imagem ficava mas o dorso ia crescendo. Crescendo, crescendo, crescendo. O Dinossauro ia devorando palavras. Devorando, decorando, decorando. Ouvindo os discursos que tinha escrito, ouvindo. E escrevendo outros. E outros, e outros,

«ALÔ, UNIVERSO! ATENÇÃO, PALAVRAS!»

preocupado com a desordem dos mundos. Mas o universo é que não tomava conhecimento. Enviava protesto, está lá?, e o universo nem sinal. Mundo surdo, que tempos.

Estranhamente, mesmo muito estranhamente, também ele começava a notar uma certa dificuldade em se ouvir. Abria as goelas do altifalante, aumentava mais o som hoje, aumentava-o mais amanhã. Nada. O gabinete explodia em berros e em vivas, misturados com umas súbitas arrancadas do hino nacional. Desesperado, o Imperador corria para os braços do irmão de bronze, outro surdo.

Dinossauro, morte primeira

Então é que ele deu a última volta à chave que o separava dos vivalmas, foi então. Se até ali estava só, agora estava pior porque nem a si mesmo se podia ouvir. Cada vez perdia mais palavras dos discursos, ele que antes os repetia de cabeça e que já não reconhecia frases, frases inteiras, sem saber se havia de culpar o ouvido ou a memória ou a infidelidade das máquinas que não cumpriam e o desorientavam. Enfurecia-se, urrava para as paredes como um possesso inocente. Depois caía num dormitar inquieto, já desgarrado outra vez do vozear que o rodeava.

Isto, noites e dias; semanas a fio. Amarrado à secretária, a escorrer baba esquecida. Fedendo de sujo. À deriva, entre a sonolência e o desespero.

E NO ENTANTO

a surdez do Dinossauro ouvia-se, chegava à sala ao lado semeando o pasmo e o terror nos conselheiros. O altissimofalante varria o gabinete a todo o furor, estremecia paredes, e os honrados cortesãos à mesa das reuniões só temiam que ele rompesse a muralha do Imperador e lhes caísse em cima como uma culpa desordenada. Tinham de trabalhar aos berros e mais tarde não só aos berros mas por sinais e trocando papelinhos como estudantes trapaceiros reunidos em exame. Diziam e redizanm e muitas vezes aceitavam o não dito pelo dito, perdidos no tresdizer. Pareciam batalhas campais, aquelas sessões comandadas por um surdo de bronze.

O Mestre, na sua ignorância de ouvido, desconhecia a polvorosa que ia nos conselheiros à porta fechada. As reuniões vinham-lhe ter às mãos em relatórios muito compostos, preto no branco, fora do som da tempestade. Aprovava ou não aprovava e também a sua decisão saía rigorosa e clara no auge da estridência que o acompanhava e que era o seu pulsar normal, o tecido do seu anoitecer.

SERPENTES,

as palavras rastejavam-lhe aos pés; continuavam a cair na teia uma por uma, amontoando-se no chão em tiras perfuradas que escorriam dos computadores e que se revolviam, ondulavam,

ERAM SERPENTES

crescendo, crescendo sempre. Cobriam os tapetes, preenchiam os recantos onde se enrolavam a monte e logo se derramavam outra vez pelo sobrado procurando espaço, deslizando. Já enchiam o gabinete até às patas douradas da secretária, já iam nos joelhos do Dinossauro, marinhando por aquela sonolência feroz e embalando-a com o farfalhar dos seus corpos de papel. Não paravam, alongavam-se e reproduziam-se, salpicadas de furos, de pintas quero eu dizer, e nesses furos, nessas pintas, vinha todo o código venenoso das palavras proscritas.

Do seu varandim de ouro o Imperador estendeu o olhar tresnoitado pelo mar de papel que o assaltava. Ergueu-se da cadeira com esforço e com mais esforço ainda começou a travessia do gabinete. Tentava alcançar os fusíveis, parar de vez as máquinas e os sons, mas as tiras malignas, as danadas, tolhiam-lhe os passos. Começou a estrangulá-las, a parti-las: tempo perdido. Por cada pedaço rasgado nascia outro a seguir, e ele tão enfurecido que era incapaz de se deter. Caiu, já se esperava; caiu desamparado no fervilhar branco que se queria apoderar dele e então pensou no castigo da imprevidência e no tanto tempo de apagamento que passara atrás da secretária, vencido pelo desespero. Durante esse tempo tinha perdido o governo das máquinas, pensou, e agora estava louco.

Pensou também que os loucos, se realmente loucos, nunca reconhecem a loucura, e que se encontrava apenas num eclipse de memória. Ou na hora da extrema solidão. Ou da vontade, não sabia. Jurara a si mesmo que não tornaria a sair do gabinete para que nenhuns olhos mortais tornassem a pousar sobre ele, mas tinha perdido o governo das máquinas, repetiu. Alguns instrumentos já não os via. Cerrou os dentes e começou a levantar-se.

Penosa, penosamente, foi abrindo caminho para a porta. Conseguiu. Entrou na sala deserta perseguido por uma onda de papéis revoltos que lhe prendia os passos. Queria desenvencilhar-se mas tropeçava, ia de rastos. E quando alcançou a estátua e estendeu o braço à procura de socorro é que percebeu como era antigo esse braço e como por dentro dele só havia fibras secas, a estalar. O ruído do naufrágio, lembrou-se então, alçando o pesado corpo para se agarrar ao irmão de bronze.

Ficou pendurado nele, a ganhar forças enquanto a onda de serpentes crescia à sua volta, procurando cobri-lo. Num último esforço começou a içar-se: foi nesse momento que a estátua estremeceu um instante e, gentilmente, quase num segredar, inclinou-se sobre ele. Na lenta oscilação de um segundo, Dinossauro, de olhos apavorados, viu-a hesitar, baixar-se, baixar-se ainda mais, e desabar-lhe em cima.

TCHAP!

Quando apareceram os guardas do palácio foi como se tivessem desembarcado num lago de destroços. O ar estremecia com discursos e uivos eléctricos, o chão ondulava remexido pelas tiras de palavras. Mergulharam nelas, afastaram essa espuma branca e descobriram lá no fundo, verde, verde, esmagado pelo irmão verde, o Imperador abraçado à morte.

«PAX VOBIS»,

anunciou o capelão dos guardas. E benzeu-se.

Tiraram-no verde. Verde copiado do verde da estátua, imperador debaixo de imperador; ambos inteiriçados, pesadíssimos. Dinossauro Um ainda soprava uns restos de vida, poucos – mas era um caso perdido, sentenciaram os médicos que, pelo sim e pelo não, iam tentar por tentar.

«ACIMA DE TUDO QUE FIQUE
IGUAL AO RETRATO»

pediram os conselheiros, de lágrima a balouçar.

Para quê igual?, pergunta a nossa curiosidade. Provavelmente para que o povo ficasse com uma recordação digna do Chefe, é o que se depreende. Convinha que, desfilando em último adeus perante o cadáver imperial, os mexilhões de todas as castas o vissem sereno e composto como é próprio dos mortos ilustres, incluindo os de pedra de catedral. A sua imagem tinha de ser Una, sem confusão nem hesitações; devia desafiar os séculos como medalha de um só rosto, perfil para lá do tempo. Além de que as multidões nunca são de confiar em surpresas da última hora, avisava o sempre vivo Guarda-Mor. Nunca se sabia.

Morcego de veludo a vigiar os escuros, este excelência conhecia todas as cavernas do Reino. Tinha gazua e pé-de-cabra, falava com outro peso. Ninguém lhe podia garantir que a população, ao deparar na urna com um imperador diferente daquele a que se habituara a ver nos jornais, nos selos e nos monumentos, ninguém lhe garantia a ele, Guarda-Mor, que essa gente boa e ingénua não desconfiasse que iam sepultar um desconhecido em vez do seu amado protector. Não seria o primeiro caso, afirmava. Revoluções, sangreiras e anarquias resultavam frequentemente de um enterro mal estudado porque uma população excitada com o cheiro a funeral é temível.

«DECERTO, DECERTO,
IGUAL AO RETRATO, IGUAL AO RETRATO...»

cacarejavam os conselheiros. E desandaram à procura de um novo imperador. Os médicos de maior ciência, os mais médicos, baixaram a cabeça: Okay, iam tentar. Pediram ajuda aos cirurgiões-artistas, discutiram os prós e os contras, os antes e os depois, e assim que chegaram a acordo, puseram o retrato oficial diante dos olhos e um-dois-três, vai disto, atiraram-se ao enorme corpo do Dinosaurus. Ao *corpus*, mais propriamente.

De ponta a ponta do Reino os sinos badalaram a péssima notícia. Os médicos iam formigando por cima do quase-cadáver; mas com poucas esperanças – preveniam à cautela e por causa das moscas. Chamaram sábios estrangeiros à cause des mouches e because of les mouches, inventaram sangue, despejaram soro – litros e litros. Diziam: vamos a ver, vamos a ver.

Houve velórios nos outeiros, altares à volta do retrato do Imperador. Discursos também, e muitos. Versos de despedida, lágrimas de sobreaviso. Os jornais anunciavam em letras de caixão alto que para grandes povos, grandes desastres.

Longe, em Cu de Judas, os camponeses excursionistas sabiam que iam ser chamados ao funeral e punham um olho no calendário, outro nas sementeiras, interrogando-se se viria em má altura. Nas repartições públicas suspirava-se fundo: desgraça por desgraça, ao menos que a morte calhasse em tal dia assim e assim para haver ponte de fim-de-semana. Os comerciantes inquietavam-se: feriados de luto nunca beneficiavam senão os da capital. Os presos sonhavam com amnistias e as beatas com embaixadas de estrangeiros em missas de grande pompa. Só os médicos não tinham descanso nem projecto.

Cem dias e cem noites trabalharam no Imperador, apertados no difícil território do entre o nada e a morte. Abriram e esfuracaram, substituíram, coseram. Eram génios minadores, feiticeiros de batas brancas, como asas. Com os seus martelinhos de prata, seus golpes a traço vivo, suas brocas, sua linha, com suas pinças de insecto, esvoaçaram por todo o Dinossauro. Limparam-lhe as bossas, reduziram-lhe o braço maior, e ao centésimo dia fizeram pausa. Para ver, para escutar. Ficaram na mesma.

Cem dias e cem noites é obra, mas não esmoreceram. Mais cem e mais outros cem, e de repente tombaram para trás, assombrados: o corpo começava a emergir.

«RESSUSCITOU!»

bradaram os frades na capela do palácio. Os conselheiros é que marinhavam pelas paredes, bravíssimos, porque já tinham arranjado outro imperador. Depois caíram em si e ficaram diante uns dos outros, sem pinga de sangue: e agora?

Agora paciência e cara alegre, mandava o bom senso. Os cirurgiões de arte arrumaram o estojo, atirando para um canto o retrato oficial que tinham estado a copiar com tanto esmero: Ora gaita. Enquanto os outros médicos se aplicavam em dar vida ao Imperador, eles, como cirurgiões da figura, tinham-se desunhado a compor-lhe uma imagem da morte e isso era trabalho ao contrário, cansava. Naquele momento sentiam-se revoltados, desiludidos. Trabalho escusado, lamentavam-se entre colegas.

E na verdade: Se o Imperador ia viver, como parecia que ia, lá estavam os espelhos ensinados, os jornalistas e a televisão para lhe dar a imagem corrigida, era ou não era evidente?, perguntavam os cirurgiões artísticos. No fim de contas tinham sido chamados para a morte, não para a vida.

Pior, infinitamente pior, estavam os conselheiros, que não descobriam onde se haviam de meter. Para maior desgraça estavam surdos de todo, cada qual berrando para si e cada qual agarrado ao pequeno aparelho de pilhas que lhe pendia do ouvido. Era o que se pode chamar desespero em onda curta, curtíssima, sem resposta nem consolo, e eles sacudiam as penas pelos cantos da casa, tentando libertar-se do pesadelo de terem ido buscar outro imperador. Gemiam:

«NINGUÉM PODIA ADIVINHAR
TÃO EXCELENTÍSSIMO MILAGRE...»

ao mesmo tempo que o Sumo Sacerdote não parara de correr, de braços abertos:

«RESSURREIÇÃO! RESSURREIÇÃO!»

Acabaram ajoelhados ao altar do Deográcias, desgraçadamente comovidos por lhes ter salvo o Dinossauro, luz da pátria e arquitecto do século, trave da paz, pai e exemplo dos lares, ámen. Orando e sofrendo: deitando contas à porca da vida, padrenosso, avemaria, e perguntando se o Mestre iria resistir quando soubesse que tinha sido substituído. Receavam que não, Deus o amparasse. E receavam que sim, e então Deus os amparasse a eles, conselheiros, porque, embora sem o mando na mão, o Mestre não deixaria de lhes rezar pela pele. Com um magnífico daquela força tudo era possível menos o céu. Os conselheiros levantavam os olhos para o altar, implorando que lhes viesse alguma ideia.

Veio uma e nada má: tratarem o Dinossauro como se ele continuasse no trono de verdade. A máquina das palavras continuaria a lavar os mexilhões e o nome dele a luzir nos cabeçalhos dos jornais. Nas estátuas não se tocaria, eram Arte!; nas notas de banco guardava-se a mesma silhueta imperial iluminada a vinténs-ouro. Tudo em faz de conta, numa palavra.

e se viu rodeado dos conselheiros a primeira coisa que pediu foi um espelho. Mirou-se, remirou-se, apalpando o rosto, reconhecendo-se. A seguir comunicou com voz sumida:

«PARA A SEMANA REUNIÃO DE CONSELHO.»

O cirurgião mais sábio ia a avançar para recomendar prudência, tempo ao tempo. Mas o Imperador fez o gesto de que o deixassem em paz, fossem à vida.

ABERTA A SESSÃO

pela voz gravada do Mestre, os conselheiros-que-já-não-eram puxavam das pastas e começavam o diálogo das pilhas, a confusão dos aparelhos a piarem como canários, procurando o comprimento de onda deste e daquele, pii... pi... piii... Tudo música, afinal. Uma música de surdos que nem sequer tinham pauta para entrarem na devida altura e que estavam ali porque, bico calado, estavam.

Ora como o surdo que muito canta acredita que tem boa voz (ditado dos Pedintes Voadores) os velhinhos, que além de surdos se alimentavam a pilha portátil, ao fim de muito reunirem convenceram-se de que eram mesmo conselheiros. Ambos os imperadores precisavam deles e se assim não fosse nunca o novo os teria chamado, olha quem. Ganhavam como conselheiros, tinham pasta e excelência, donde: não havia dúvida, conselheiros legítimos. Melhor: universais.

Trabalhando no secreto, confiança importantíssima que não se dá a qualquer um, raras pessoas sabiam do papel que andavam a representar e que era o de ministros clandestinos, personagens de Livro Branco. Só esse mistério chegaria para lhes dar valor e responsabilidade e outra vontade de cumprir. Sonhavam-se em missão de homens-sombra, antena na orelhinha de pedra, atravessando o país, teleguiados.

Os anos corriam, a surdez aumentava, a vista esmaecia. Os a-fingir movimentavam-se numa zona confusa, e tão turbados pelo mistério das suas pessoas que, hoje Reino do Dinossauro, amanhã Reino Real, acabaram por não distinguir. No entanto sempre contentes como ratos; as pilhas em botão cantavam-lhes ao ouvido envolvendo-os em primavera.

No palácio a estátua esperava por eles – pontualíssima. E eles compareciam, reunidos ao crepúsculo formavam uma estranha assembleia. Tinham-se habituado a discorrer às apalpadelas e por frases de tatebitate, e, vá lá, entendiam-se; ou quase. Em discussão activa, berro e gesto, punham-se a cozinhar leis, pareceres de tanto-faz e relatórios para olvidar, singrando através da névoa da surdez com os seus botõezinhos de pilhas.

PI... ZZZ... PEÇO A PALAVRA...

Paredes meias com eles, o inferno do gabinete imperial continuava cada vez mais na mesma. Os velhadas davam por isso? É o dás. Os velhadas andavam tão entretidos que não tinham olhos e ouvidos senão para eles e continuariam a não ter se um dia, rompendo o nevoeiro de som, não lhes entrasse pela sala adentro o Mestre. O Mestre, ele em pessoa – porquê esse espanto? Aos conselheiros caiu-lhes a alma aos pés.

Apareceu a galope numa cadeira de rodas, todo atirado para a frente como se investisse contra o vento. Travou. E então nesse vulto carregado de tempestade os velhos encontraram um rosto liso, de cera, e perceberam que tudo nele, pele e cabelo, tinha as tintas dos mortos de museu.

Dinossauro, sem uma palavra, atirou um papel para a mesa e ficou à espera. Houve um instante de dúvida, e de repente, todos à uma, os conselheiros desabaram em cima da caligrafia e puseram-se a debicar com os aparelhinhos do entendimento. Liam alto; era um memorandum, comentavam. Um memorandum. Perguntava por pessoas, assuntos em suspenso nas gavetas do esquecimento. O mais estranho é que revelava uma memória poderosa e, mais que isso, uma memória de Juízo Final, pois só se referia a falecidos ou a gente desaparecida. E Fulano?, perguntava. E Sicrano?

«PEÇAM-LHE UM RELATÓRIO.»

Os conselheiros ficaram transidos. Fulano era impossível, tinha morrido, paz à sua alma. Beltrano fugira com uma dactilógrafa e nem uma brigada de cães polícias conseguiria levantar-lhe o cheiro. O dê-erre Sicrano andava pelos manicómios a coçar-se das poluições trazidas pelos astronautas, não passava de uma chaga lunar. Voltas da idade, desilusões; desastres que era melhor ocultar. Por conseguinte, bico calado, sempre de bico calado, os conselheiros vá de fabricar memorandos e de trazer cumprimentos dos falecidos com muitas desculpas pelo atraso; vá de adensar a nuvem, o crepúsculo. As reuniões tinham deixado de ser reuniões, eram uma mesa de pé-de-galo a comunicar com o outro mundo em trabalhosa corrente contínua.

Dinossauro, pax perpetua, Dies irae, faleceu com suores de santidade na hora mais alta do século, ano da Comemoração.

Os mexilhões comuns quando o foram espreitar à urna de cristal abanaram a cabeça: acharam-no demasiado igual ao retrato para ser verdade. (E, assim, funcionavam ao contrário do antigo Guarda-Mor que não quis o Mestre com cara de Dinossauro; mas era de esperar, os mexilhões nunca deixariam de ser espíritos de contradição.) Mais tarde, como o corpo estivesse exposto ao Reino por longos dias, os mesmos mexilhões debruçaram-se demoradamente sobre ele, fazendo olhares entendidos: ninguém lhes tirava da cabeça que

O IMPERADOR TINHA SIDO TROCADO

Aquele que ali viam era uma máscara, nunca um homem que contava dezenas de anos sobre a imagem do retrato oficial, séculos talvez.

Foram-se embora, chateados.

Vendo-os partir, como sempre na direcção do mar, as mães da nação respiraram, aliviadas, mas sem perderem a compostura; o Guarda-Mor fez um sinal de liques aos besouros para que fossem atrás e investigassem; e as beatas populares puseram-se a abanar tristemente a cabeça, criticando os mexilhões por falta de sentimentos, que gente.

Era de esperar. Onde se mostre o defunto ilustre é certo e sabido que aparece a beata anónima. Vem atraída pela curiosidade da morte que há em todo o cristão temente a Deus e enquanto preenche o velório sente-se feliz por estar junto de um grande da terra. Estas do Dinossauro faziam o mesmo. Punham os olhos no cadáver sem idade e suspiravam de deslumbramento (está a regressar ao início, à juventude depois da morte, pensavam) pondo um dedo na urna imperial, levando-o à boca muito sentidamente e persignando-se desde a testa ao coração.

Assim, beatas e mexilhões sem fé, cada um por seu lado lia o cadáver como um mistério. Defunto santo ou defunto trocado, mistério de Deus ou mistério de palácio, de mistério é que não se passava. Os mexilhões, ruga na testa, pé na rocha, passavam palavra, à boca calada, contando que ao lado do Imperador se reuniam agora uns conselheiros desmantelados e que também estes tinham perdido a idade, eram perpétuos. Andavam na voragem das palavras, eram outros que tal – diziam. E cegos e moucos, velhos sem tom nem som, parece que convocavam as vozes do Além com intermináveis discursos que dirigiam ao Imperador de bronze,

O DA MÁSCARA

o qual era, sem tirar nem pôr, o mesmo do cadáver oficial e das mil e uma estátuas que vigiavam o Reino.

Não saíam disto, os mexilhões. Morte e mentira da morte – era do que falavam. Mas os canetas da corte, apanhando-os de costas para o Reino em posição de a ver o mar, afirmavam que a conversa era outra e que estavam simplesmente de sentinela às brumas, na esperança de verem regressar o Dinossauro que Deus tinha, numa onda de prata. Contavam o conto e acrescentavam o ponto sem mais aquelas, escrevendo que o Imperador apareceria na desejada onda da lenda empunhando o último discurso e que o mar o deixaria depositado nos cumes dum rochedo.

OUTRA ESTÁTUA

concluíam os mexilhões, com um sorriso cansado.

Sabiam como ninguém o peso e o frio desses monumentos e da sombra que espalhavam a toda a curva do sol. De pai para filho e de filho para neto nunca nenhum mexilhão se esquecia de apontar o Dinossauro nos seus vários pedestais e avisar:

«ANDA LÁ DENTRO, É ESTE»

passando a palavra a quem viesse depois, e daí a outros depois, e aos depois e mais depois e...

... Ritinha, fecha o livro, é mais que tempo. Repara, há um riso acolá naquela romã em cima da mesa. Verdade: estalou de sumo e de sol e agora parece que ri, não notas?

Natal de 1969 e Março de 1971

Esta fábula vem duma fotografia datada de Londres, Outubro de 69, onde eu vivia então. Tenho-a aqui entre lembranças que mandei de mim e lá estou eu, voltado para a pátria e para os meus – mas com a pata dum dinossauro a ameaçar-me pelas costas. Há um fundo de floresta que me confere solidão.

Isso passou-se numa manhã pardacenta em que eu e o fotógrafo Jerzy Bauer, do *L'Express*, andávamos pelo Southend, e depois do cemitério de Northwood, depois de Crystal Palace, fomos dar a um desses parques desolados onde há sempre – dizem – uma hipótese de cadáver estrangulado nos montes das folhas caídas. Metemos a passo de Outono, passo escorrido e fofo sobre a relva, e ali, dissolvidos na bruma, imóveis entre as manchas do arvoredo, apareceram-nos então os fantasmas de que o parque estava povoado: répteis gigantes, répteis de asas, aves dentadas, isso e toda aquela família desvairada do nosso planeta de há cinquenta milhões de anos, sem esquecer o dinossauro. Tudo em fóssil, já se vê, ou, melhor, em enormes formas de cimento copiadas do grande atlas das monstruosidades.

Enquanto eu era ali fotografado em pré-histórico, tu cá, tu lá com esses personagens do doutor Darwin, pus-me a pensar no Tiranossauro com os seus dez metros de comprimento e a sua dentuça assanhada, e saiu esta estória. Contei-a por escrito à minha filha Rita e dediquei-a à irmã, Ana – um presente de Natal trabalhado com saudade por um pai atribulado. E foi tudo.

Mas quando o texto foi lançado à circulação das letras nacionais, devidamente assinado e nos caracteres correntes, os animais da Corte desataram a assoprar nos seus covis de ouro. Na Assembleia Nacional o polvo almirante e o escorpião salazarento subiram à tribuna para excomungar e perseguir (devo-lhes a eles uma parte do êxito desse livro) e imediatamente apareceram os censores voluntários a rastejarem o ventre felpudo. No zénite da Comarca Lusitana hasteou-se a máscara do Excelentíssimo como uma provocação policial ao país silenciado.

O pior é que ele há horas e horas, sempre se ouviu dizer. E uma bela madrugada as feras da arrogância e do terror ao verem surgir os soldados da liberdade fugiram a sete pés por todas as costuras do Reino. Essas coisas tiveram lugar a vinte e cinco de Abril do ano de 74, conforme é memória universal.

Naquela urgência de salvar e esquecer, os galos de briga perderam logo ali o esporão e a crista floriu-lhes em cravo altivo; às víboras deu-lhes o sono brusco, hibernaram antes do tempo, e à hiena, foi fácil, veio-lhe o choro da comoção. O chacal comprou coleira, vestiu-se de cão doméstico, e o crocodilo fez-se de pedra; todo veludo e sombra, o morcego espalmou-se no campanário, vizinho da cegonha máter e das santas columbas. Uma parte da bicharia pediu asilo ao jardim zoológico, outra embarcou na arca da salvação rumo aos brasis.

Mas se atrás de tempos tempos vêm (e aqueles foram o que sabemos) não é menos verdade que a memória dos povos cede muitas vezes ao silêncio cristianíssimo, razão por que transcrevo agora o que redigi há anos, num dos exemplares da edição «ars bibliographica» deste mesmo *Dinossauro:*

Ao escrever esta fábula (*fábula* porque se passa no tempo em que os animais falavam e os homens sufocavam), eu sabia que a memória política é frágil; que se conta com isso para repetir o erro histórico e apagar as analogias. O que lá vai lá foi, é como se diz. E pede-se uma esponja sobre o passado. Amortalha-se o tirano em silêncio piedoso e entrega-se ao crepúsculo a sua biografia ainda viva, ainda legível e contemporânea das vozes testemunhais, para que em breve ela se torne enigmática e mitificada.

E todavia, por mais compassiva que seja a nossa recordação, o dinossauro existiu. Há vestígios dele, sinais fósseis e tabelas zoométricas que permitem reconstituir a sua maneira de estar e a sua própria extinção. Hoje, verdade seja, é quase um animal mitológico, uma imagem do universo onde o homem não podia ter lugar.

Assim também o Excelentíssimo da minha estória. De personagem tumular ele regressa a esta narrativa ao sabor dos ecos, dos caprichos e das liberdades de que fui capaz para representar um cosmos conceptual tão adverso da medida humana que só podia ser contado em termos «fabulares». Dinossauro: o nome vem das associações imagéticas que este exemplar comporta, mas nem por sombras eu podia pensar que ainda há dias (cf. *Le Monde* de 9-3-73) essa designação existisse como realidade política concreta e que, no Haiti, o partido dos «velhos dinossauros», assim chamado, governasse uma paisagem em tudo semelhante à do Reino do Excelentíssimo.

Quanto ao resto, às razões que me levaram a esta estória, talvez seja mais simples repetir (outra coincidência) o que diz Gombrowicz no prefácio a *Transatlântico*, que acabo de ler:

«Há quem (e eu pertenço a esse grupo) chegue a recear a palavra *Pátria* como se ela atrasasse uns bons trinta anos o seu desenvolvimento. Exagero da minha parte? Contudo o correio continua a trazer-me vozes procedentes do meu país, dizendo que este livro é um panfleto sobre a fraseologia Deus-Pátria ou uma invectiva contra o governo de direitas que ali deteve o poder durante os anos 30. A opinião que me interessa é a daqueles que consideram o livro como um ajuste de contas com a consciência nacional e não como uma crítica aos "defeitos nacionais" [...] um ajuste de contas, entendamo-nos, com a sociedade criadas pelas condições da sua existência histórica e pela sua deslocação do mundo.»

Neste exemplar que ignoro onde irá ancorar (continuo eu nessa nota de 1973) fica o post-scriptum. Ele é como um aviso lançado à corrente, ao destinatário do acaso, e é assim que o desejo: em forma de mensagem corsária e como tal redigido em apagamento e repleto de indignação.

Seis anos passados sobre esta minha anotação de circunstância muita coisa mudou no país que outrora foi comarca à margem e que hoje é pátria de homens, felizmente. Mas há desmemória e mentira a larvar por entre nós e forças interessadas em desdizer a terrível experiência do passado, transformando-a numa calúnia ou em algo já obscuro e improvável. É por isso, e só por isso, que retomei o *Dinossauro Excelentíssimo* e o registo como uma descrição incómoda de qualquer coisa que oxalá se nos vá tornando cada vez mais fabular e delirante.

Outubro 79

CELESTE & LÀLINHA
POR CIMA DE TODA A FOLHA

FOI NO TEMPO DAS GUERRAS: A ÁFRICA ERA UM CORAÇÃO A ARDER NO OCEANO

Uma menina chamada Celeste
saiu das labaredas
e voou pelos céus além.

Partiu esta menina, Celeste, dentro dum dragão de prata que voava por ventos e ares, e não ia só. Viajava na companhia da mãe e da avó, ambas de luto vestidas, enquanto lá em baixo o primo Amílcar, camionista de pesados, ficava a desafiar os negros de má-fome. Que eram mais que as mães, diga-se de passagem: negros a formigarem no capim, negros na pele do leão e na casca do embondeiro, negros turras-terroristas, olho aceso e pé no vento, a alastrarem pelas cidades; negros aos estilhaços; farrapos de negros a apodrecerem nos mastros. Guerrilhas, em suma.

E o primo Amílcar, no cume duma montanha de balas, a espalhar fogo alegremente:

«Com putas e turras é sempre a aviar!»

As chamas cegavam-no. À mais pequena sombra disparava; ao menor zumbido, pólvora. E quanto mais pólvora mais cegueira, mais medo; quanto mais medo mais desespero, quanto mais desespero mais turras-terroristas – de forma que era uma guerra a despachar: matar por matar e depois se vê.

MAS...

mão que espalha o fogo
queima-se com o vento, oh, castigo.

E foi o que aconteceu aos conquistadores do mato, traficantes e outros que tais quando, depois de muito esfolar, viram a vida deles a andar para trás.

Tinham saído das berças da fome em tempos que já lá iam e, tocados pela necessidade, atravessaram o mar em demanda do igualmente esfomeado, que era preto e que, tanto quanto sonhavam, andava a pé descalço por cima de cascalhos de ouro e diamantes sem dar por isso. Depois, como as coisas não fossem tal e qual, não se desconcertaram e desataram a fabricar negócios de abater o preto à paulada, peneirar e vender farinha de pau-santo, e assim foram crescendo e engordando.

O pior é que de tanto bater, o pau abriu faísca e pegou fogo ao mato – tinha que ser. Os traficantes, conquistadores e outros que tais levaram a mal. Ah, sim?, ameaçaram. Pois então o fogo paga-se com o fogo, e por dá cá aquela palha puseram-se a despejar tiros, empurrando para longe o incêndio – pensavam eles. Estiveram meses e anos, entretidos a espalhar lume quando numa volta do destino o vento começou a mudar. Aí, ao sentirem as chamas a virarem o dente, alto lá: deram sebo às botas e que se lixe, disseram, ardeu a tenda. Pegaram na saquinha dos diamantes e bateram a asa, rumo ao velho ninho, Portugal.

Enquanto o diabo esfregou um olho já eles tinham pulado por cima do mapa-mundo e da África que lá estava desenhada como um coração pousado no oceano.

ATENÇÃO, ATENÇÃO, BONECA A BORDO!

Os traficantes dão às de vila-diogo
e a outros lugares da terra-mãe.
De viagem encontram alguns brancos de boa-fé.

Entre os quais a pequena Celeste e as duas mães enlutadas.

Iam velha, mãe e neta, pombas negras a voar, uma triste, outra calada, outra levada em sonhar – e galgavam tudo, alturas e equador, dentro do dragão de prata. Certamente que, ao deixarem a África, fizeram uma curva por cima do primo Amílcar que continuava a provocar as chamas na sua montanha de balas e de gritos militares. E certamente, também, que se o ouvissem o grito seria:

«A mim, a mim! Com putas e com turras é que eu me quero!»

(Ou coisa parecida.)

Só que a pequenita Celeste não pensava nele nem nas montanhas de balas espalhadas pelo mapa, lá em baixo. Pensava nos mares de nuvens, céus luminosos, carneirinhos ao de cima, que ia percorrendo em azul.

Mal sabia ela que, na bagagem da família, viajava uma boneca preta, Làlinha, que a avó tinha conseguido salvar à última hora na confusão da partida.

OH!

fez a Celeste quando viu sair a boneca
do fundo duma mala.

Há muito que não a via (julgava tê-la perdido na guerra) a esta Làlinha que conhecia, pode dizer-se, desde o berço. Tinha-se cansado de a procurar entre lágrimas e jardins mas a sua boneca foi-se afastando, afastando, até ao nunca mais. E agora não é que a vê aparecer, muito fresca, do fundo da recordação, saída de roupas e atados, jóias pobres e rumores africanos? Oh, fez a Celeste num clarão de alegria.

A mãe-viúva repreendeu a sogra com meias-palavras: «Vossemecê, também...»

A sogra desculpou-se com um deixa lá. «Aqui não ligam a essas coisas», disse.

Celeste é que nem quis saber de mais nada, correu logo para a rua, com a boneca muito presa ao coração. Apertava-a até à dor do bem-querer.

Era uma negrinha só ternura e ainda por cima indefesa porque tinha um braço estropiado, provavelmente roído por qualquer bicho do mato. Mas o braço pouco importava, a criança ainda gostava mais dela por causa dessa fatalidade. Principalmente não podia esquecer os olhos, que eram como duas pétalas de marfim sobre um cheiro de canela.

«Làlinha, minha Làlinha... Fizeram-te mal, Làlinha?»

Sentadas ao portal, Celeste e Làlinha tinham à volta delas um campo de refugiados, casinhotos de cimento, ruas povoadas de galinhas, caixotes de porão às portas. Entre latas de flores havia um manjerico plantado num capacete colonial.

NO DIA SEGUINTE,
À HORA DO CORVO

Celeste e Làlinha
decidem explorar as redondezas.

A meio da tarde, mais coisa, menos coisa, saíram de casa e no fim da alameda principal, que apesar de principal era uma sementeira de buracos, encontraram-se diante duma mata de mimosas. Buracos e lixo, para elas era como o outro: onde aparecia cova Celeste dizia Um-dois-três-gazela e saltava, onde aparecia sucata Celeste atirava o pontapé da lei e ia em frente, caminho aberto. Para variar fazia aqui e ali o seu pedaço ao pé-coxinho.

Neste andar a mata foi-se fechando sobre elas e o chão tornou-se mais macio, coberto de folhas. Começaram a aparecer tendas de acampamento e outras moradas de refugiados da última hora, barracos, roulottes aciganadas, gaiolas às três pancadas. E para lá da folhagem, o mar. Ouvia-se o mar, admirou-se a pequenina Celeste.

(Pergunta: estavam numa ilha?)

De repente, Celeste apertou a mão da boneca: mesmo diante delas havia um homenzarrão muito entretido a enrolar peles de serpente à porta duma roulotte. Roulotte ao meio, clareira à volta, e todas as árvores cheias de peles de animais a secar. Como menina valente e curiosa, quis ver melhor. Viu. Peles de lagarto, peles de pacaça, mantas de leopardo, javalis com os dentes apontados para a morte, gatos-selvagens em curva de salto, o esperto raposão reduzido à sua expressão mais simples. E nesse cerco de feras o gigante enrolava serpentes. Pelo sim e pelo não, Celeste pôs-se mas foi a andar.

Andou, andou, e lá mais adiante já se tinha esquecido dele e dos bichos que o rodeavam, onde isso ia. Em vez do cheiro dos curtidos o que agora a chamava era o perfume das mimosas, o mistério dos carreiros pela mata, a voz do mar, mil coisas. Andava ao mundo, descobria.

Já na cinza do entardecer apareceu-lhe um corvo vicente a saltitar no caminho (Olá?), um daqueles corvos-carvoeiros que conhecem tão bem as pessoas que já nem se dão ao trabalho de mexer a asa quando alguém se mete com eles. Este passeava-se com modos de proprietário, com o ar de quem não passa cartão seja a quem for e muito menos a crianças. E tanto assim que quando a Celeste bateu os pés no chão para o assustar, o pássaro nem se dignou tomar conhecimento da garotice: continuou lá na vida dele, preocupado com coisas muito mais sérias.

Celeste, claro, avançou; o Vicente, muito senhor, limitou-se a apressar os saltinhos e a ficar fora de alcance. Nova avançada, nova carreirinha do Vicente para demonstrar que não queria confianças. E, serapico, pico, pico, a Celeste despejou uma lengalenga de todo o tamanho, convencida que o irritava. Dizia: Serapico, pico, pico, quem te deu tamanho bico foi o pai do mafarrico mais a velha do penico que partiu o abanico nas orelhas do burrico... e vai uma, e vão duas, e vão três... E, zás, dava mais uma corrida para o pássaro.

Parecia um jogo (uma estupidez, diria o corvo). A garota, serapico, tal e tal, o Vicente que chatice. Mais serapico, mais pulinhos, e o que é certo é que já não era o cheiro das mimosas que puxava a Celeste para o segredo da mata, era o corvo, esse sabido. Quando deu por ela tinha chegado a um barraco onde havia três jogadores à volta dum baralho e dum caixote de cervejas. Era ali que morava o passarão.

Se a Celeste fugida à guerra já soubesse juntar as letras do alfabeto, perceberia pela tabuleta espetada numa árvore que estava no BAR QUIBALA, estação de negociantes sem escrita nem imposto que vendiam restos de África à mão escondida por Lisboa e outras terras.

«Oh, formiguinha», disse o primeiro jogador que deu pela presença dela.

O Vicente carvoeiro desaparece e deixa a Celeste à porta do bar, com a Làlinha pendurada na mão.

Os outros jogadores fitaram a pequena criatura como se ela tivesse aparecido ali por obra e graça do entardecer, trazida no voo duma folha ou a cavalo numa pena de corvo. De repente, todos à uma, desataram a bater as cartas a murro em cima do caixote e a assoprar como danados. Jogavam à luz da cerveja, cheios de espuma até aos dentes.

O que chamou Formiguinha à Celeste rolava um charuto muito grosso no mel duma boca como a dos anjos; era gordo-gordíssimo e pensava as cartas lá no alto duma pança luzidia, redonda como o mundo. O segundo, pelo contrário, não passava dum fraca figura e para cúmulo usava uns óculos que não deviam servir de grande coisa porque tinha de olhar por cima das lentes, à marrada. Finalmente, havia o do gancho de metal, um infeliz que à falta da mão direita tinha uma pinça em forma de bico de pássaro. Era caso para dizer: que sociedade, irmãos.

Mas eis senão quando, silêncio geral. Gritos e murros, espadas e paus deixaram de chover em cima do caixote porque o gancho de aço, garra cinzenta, tinha parado, com uma carta fatal suspensa no ar. Celeste estava mais que baralhada.

«Despacha-te», disse o Fraca Figura ao Garra Cinzenta.

O outro nem o ouvia. Fechava-se em copas (se é que as tinha) para pensar a carta fatal como devia ser.

«Formiguinha», tornou então o gordo do charuto, a fazer tempo. «Donde és tu, Formiguinha?»

Celeste não respondeu. Pôs-se a esfregar os sapatinhos um no outro, envergonhada sabe-se lá por que razão. Ao mesmo tempo baixava os olhos: os jogadores tinham os pés enterrados em cápsulas de cerveja – uma ilha de sucata e eles sentados.

«Então, Formiguinha?» O charuto, para baixo e para cima, parecia que ia escrevendo com fumo cada palavra que saía de dentro da boca do gordo.

«Não sabes donde és, Formiguinha?»

«Veio com o cacimbo», rosnou uma voz do outro lado; e era o Garra Cinzenta. Foi um rosnar desinteressado, dizer por dizer, porque o homem continuava, jogo, não jogo, com a carta a planar. «Trouxe a filha preta e tudo», acrescentou.

(Celeste puxou a boneca para o colo.)

O Fraca Figura é que já estava enjoado com tanta conversa. Foi ao balcão buscar uma cerveja.

«Boa ideia», disse o Charuto. Traz-me também uma *nocal*.» Mas, atenção, nesse momento a garra abriu-se e, hora maldita, azar de cão, ainda a carta vinha no ar e já os parceiros lhe caíam em cima com trunfo e contratrunfo, corte e recorte, e em menos dum fósforo estava a mesa limpa.

Gargalhada do Charuto: «Aprende, meu sakuama. Tanto pensaste que te cagaste. Desculpa o palavrão, Formiguinha.»

O outro encolheu a garra, vencido. Disse para se conformar que até ao lavar dos cestos era vindima, ou se não o disse pensou-o e, como tal, atirou um punhado de moedas para cima do caixote. Nova partida, era o que isso queria dizer em linguagem de baralho parado. Devia ter qualquer trunfo na manga para arriscar tanto dinheiro.

Tinha? O Charuto risonho não se assustava. «Ora aí está», disse. «Jogo duro é que é bom.» Puxou pelas orelhas a um molho de notas e bateu-as em cima do caixote: «Ponho estas e mais mil angolares por fora.»

Todo ele brilhava, satisfeito. Brilhava a boquinha com cantos de espuma, brilhava o suor que corria manso e nascia em pérolas, brilhavam os olhinhos de porco de pia, vorazes e minadores. Quando alongava o fumo na ponta dos dedos também o charuto brilhava com a sua cinza dourada.

«Pois é, Formiguinha», disse ele no momento em que pegou nas cartas para baralhar. «Com que então trouxeste a tua filha?» Baralhava, envolvido num fumar doirado. «Tens então uma filha preta, Formiguinha?»

(Celeste acenou que sim.)

«Verdade, Formiguinha?»

Garra Cinzenta arreganhou os dentes: «A mãe se calhar é que não sabe.»

«Sabe, pois», disse a pequena Celeste. «A minha mãe é que pediu ao Menino Jesus do Natal que me desse esta boneca.»

«Não acredito», disse o Charuto resplandecente. «A tua mãe não te ia dar uma filha preta.»

«A minha mãe pediu ao Menino Jesus...»

«Mas não pediu uma filha preta, não pode ser.»

Cartas baralhadas, partidas e dadas. Enquanto estudava o jogo que lhe veio parar às mãos, o Charuto continuou a falar para a Celeste Formiguinha: «É o que te digo. Tenho muita pena... palavra que tenho muita pena... mesmo muita pena... Mas isso que aí trazes não pode ser tua filha.»

(Celeste apertou a boneca contra o peito.)

«Quando muito, afilhada», disse o Fraca Figura. «E mesmo assim nunca fiando.»

Garra Cinzenta sorria a meia boca. Tinha o gancho espetado no ar, à frente dos olhos, e lá na ponta estavam as cartas alinhadas em leque.

«Sabes uma coisa, monandengue?», disse ele. (Celeste fez que não.) «Estamos todos tão cheios de moral que até faz dó.»

A pequena, embora não percebesse, não gostou. Teve medo do sorriso espetado no gancho; os óculos do Fraca

Figura estavam mortiços como as lanternas dum jacaré; o charuto dourado, à esquerda dele, deitava fumo manso, sorrisos a mais. Não gostou. Deu um, dois passos às arrecuas e partiu à meia volta antes que fosse tarde.

LONGE, NO HORIZONTE,
A CIDADE IMPERIAL

Celeste (cravejada de borboletas)
repara que é quase noite
e lembra-se da avó a chamar por ela
no bairro dos refugiados.

Mata fora pelos carreiros da vinda, ouvia o mar, mais fundo e repousado do que nunca, e pensou numa ilha ao anoitecer, uma floresta rodeada de espuma, com cabanas de bandidos e feras empoleiradas nas árvores. As feras lá estavam (fez uma curva para passar de longe) à volta da roulotte iluminada onde o gigante continuava a tratar serpentes, cruzado por insectos nocturnos. Ia no caminho certo, era o que lhe dizia aquilo. Caminho certo, caminho certo, casa perto, ainda bem. Reconheceu as tendas e as barracas pelas luzes que piscavam no meio das árvores, um valado, uma tábua de balouço, o já visto e passado. Depois mais uma clareira, depois mata fechada e, de escuro em escuro, agarrava-se mais à boneca, falando-lhe para se consolar: A Làlinha não tem medo; a Làlinha vai para casa; não tem medo, pois não?

Não se atrevia a olhar para trás, cada vez se sentia mais fechada nos segredos da Ilha, mais espiada pelos sons e pelos sinais da escuridão. Até que (finalmente, finalmente e já não era sem tempo) acabaram as mimosas e as sombras sussurrantes e apareceram diante dela as primeiras casas do bairro. Respirou fundo – se parece. Agora, sim, podia deitar uma última olhadela à mata para saber do que tinha escapado. Voltou-se e qual não foi o seu espanto viu elevar-se, por cima da mancha do arvoredo, a cidade capital dos impérios num esplendor de luz e de nuvens sangrentas. Parecia uma coroa suspensa sobre a noite, terra e oceanos. Lisboa, murmurou a pequena Celeste, lembrando-se da avó, pela manhã, a apontar-lhe naquela direcção. Acolá, tinha dito a velha.

Parou o olhar no rastro dessa voz.

O lusco-fusco escorria por cima dela misturado com o orvalho do mar e só havia vultos a toda a volta, nem árvores, nem vozes, nem caminhos, só vultos, e a pequenita encandeada com o clarão da cidade, luz no rosto, estava envolvida em borboletas nocturnas. Nisto saltou-lhe um braço saído do escuro, e ela aí vai levada pelo ar, ela e mais a Làlinha, sem mesmo ter tido tempo de saber que era a mãe, que tinha sido agarrada pela mãe, mãe-viúva, luto a sair do luto-anoitecer.

«Fui só à Ilha», desculpou-se a Celeste depois do primeiro susto.

Mas a mãe, cobrindo o caminho à pernalonga, levava-a por diante, a despachar: «Eu dou-te a Ilha, minha garça. Eu dou-te a Ilha assim que chegarmos a casa.»

No dia seguinte e nos outros a seguir, quando se habituou a conhecer a mata, soube ainda melhor que falava de ilha nenhuma; que havia simplesmente uma mata, mimosas, verde cheiro, e que essa mata ficava entre o mar e a estrada para a capital da pátria, Lisboa. Deixá-lo, tanto fazia. Para ela (e para a Làlinha) havia de ser sempre a Ilha. Era a Ilha, pronto. Era a Ilha, era a Ilha e era a Ilha.

Metralhadoras: tátátátá...
Estrelas de pólvora: BANG! BANG!
Bazucadas e silvos de faca.

De manhã, de manhãzinha, girassol abre a folhinha, a Celeste acordou numa alvorada em pé de guerra. Deixou a boneca no vale dos lençóis e subiu à janela para espreitar. Na rua, três garotos armados avançavam de porta em porta, cosidos com as paredes. Pelos gritos e pelas cautelas percebeu que iam atrás dum inimigo sem bandeira.

Dois putos eram os gémeos Romeira que tinham vindo no mesmo avião em que ela viajara. Pelos vistos nem arrefeceram; mal puseram o pé em terra lançaram-se logo à batalha, qual deles o mais despachado. O chefe da parelha, Romeira Um, empunhava uma Flaubert zero-zero de coice bravo, o Romeira Dois levava uma metralhadora de plástico com carregador de meia-lua. A bater o terreno ia um Ruivo de Mau Pêlo com boné de militar e blusão camuflado a dar-lhe pelas canelas; com uma mão avançava um pauzinho caça-minas, com a outra arrastava um rafeiro preso por um cordel.

«Busca, Mabeco! Anda com eles!»

O vira-latas, que não tinha nascido para aquelas guerras, ia contrariado e de rabo para dentro. Volta e meia parava às quatro patas e dava um trabalhão para o convencerem a acreditar em inimigos e em operações à queima-roupa, especialmente nas alturas em que o Romeira Dois passava por ele com a metralhadora a berrar em fogo aberto.

Celeste foi buscar a Làlinha à cama para ver passar os combatentes. Da janela acompanharam a marcha dos gémeos e do Ruivo de Mau Pêlo na perseguição dum guerrilheiro que eles lá sabiam e que por certo já devia andar pela mata que é para onde fogem todos os guerrilheiros quando se vêem descobertos. O Romeira Um passou mesmo por baixo delas disparando como um doido e o irmão Dois a mesma coisa; iam mais que vermelhos, ardiam de tanto fogo que soltavam pelos canos das goelas. Só o Ruivo, menos estoura-bofes e sempre ao capricho do cão, é que teve tempo para ver as duas meninas à janela. Olhou de tal maneira a Làlinha, tão intrigado e ao mesmo tempo tão a puxar para o azar, que se os companheiros não o chamam ainda hoje lá estaria a olhar.

Em frente, como manda o dever. E em frente ficava a mata das mimosas – Ilha no modo de ver da Celeste; Mato Grande, segundo o código do bando dos Romeira. Aí, vem nos livros, as emboscadas e as minas são como bichos dentro de maçã corada, não falando já nas picadas do mosquito e da cobra miudinha que em geral são inimigos muito feitos com os negros, como contava bastas vezes o Romeira Pai. Por essas e por outras, o destacamento fez alto junto dum enorme caixote que havia à entrada da mata. Tinha escrito PORÃO em letras de todo o tamanho e estava fechado a sete cadeados, sete.

OPERAÇÃO «MABECO – II»

«Mãos no ar»,
grita estupidamente o Ruivo
para dentro do caixote.
Mas o Romeira Um (posição de combate)
manda-o calar: «És parvo, pá?»

Disse isto num segredar de guerra, para não ser ouvido pelos inimigos. A seguir pôs-se a marinhar pelo caixote.

Os outros viram-no erguer-se, tornar-se estátua ou capitão vigia e, quase a rasar a copa das árvores, pôr-se a girar os punhos diante dos olhos como se regulasse um binóculo. Virava-se à esquerda, virava-se à direita, corria a mata e o perder de vista.

«Agora tu descobres o fumo do acampamento dos gajos e a malta vai logo ao ataque», disse o Romeira Dois cá de baixo.

«Não, senhor. Primeiro ainda tem de vir o helicóptero», disse o irmão Chefe sem deixar de mirar pelos cinco dedos da mão.

Merda. Os outros dois sentaram-se no chão, mais que chateados.

«Sei uma coisa», disse o Ruivo de Mau Pêlo, fazendo festas ao cão.

O Romeira Dois não ligou: estava interessado no irmão Chefe, lá no alto.

«Sei uma coisa», repetiu o Ruivo. «Esse caixote está cheio de pretos.»

«Está nada», disse o Romeira Dois.

«Está, pois. Palavra de Vingador.»

«Uuuh», fez o outro. «Grandapeta.»

«Palavra de Vingador, eu seja cego.»

«Pretos vivos ou pretos mortos?»

«Vivos», respondeu o do Mau Pêlo; mas emendou rapidamente: «Mortos. Primeiro estavam vivos mas agora já estão mortos.»

«Vai gozar outro.»

«Estou-te a dizer. Não sabes mais que o meu pai.»

Silêncio do Romeira. E depois: «São turras?»

«Todos turras. O meu pai é que ajudou a apanhá-los quando eles andavam a matar soldados e por isso o Senhor Jacinto mandou fazer este caixote que era para eles ficarem bem presos. Então o Senhor Jacinto e o meu pai meteram lá dentro muitas aranhas deste tamanho e os pretos começaram aos pulos, patrão, patrão, esculpa patrão, preto não torna mais.»

O Romeira Dois pôs-se a andar à volta do caixote dos sete cadeados; arriscou-se mesmo a espreitar por entre as tábuas.

«Não topas nada, calha bem. São tão pretos, tão pretos, que não se vêem às escuras.» O Ruivo encostou a cara ao focinho do cão Mabeco: «Preto matumbo donde vens tu, venho do Calcinhas que-me-foi-ao... cu.»

Nesse momento deslizou lá de cima o outro Romeira. Trazia cara de caso.

«O helicóptero atrasou-se», comunicou ele em tom de explorador apagado do mapa. «É uma chatice porque nas florestas nunca se pode avançar sem o helicóptero dar sinal.» Viu o irmão a chamá-lo do outro lado do caixote. «Que é?»

«Está cheio de pretos.»

«Vai-te lixar.» Mas pelo sim e pelo não foi também ver. «Pretos, uma porra.»

«Verdade», garantiu o Ruivo de Mau Pêlo, abraçado ao cão.

E o Romeiro Dois: «Diz que foi o pai dele que os apanhou.»

«O pai dele?» O Romeira Um pôs-se a espreitar com mais atenção.

«Verdade», disse o Ruivo. «São todos turras e só têm uma orelha.»

E o Romeira Um, com o olho enfiado no caixote: «Só uma orelha porquê?»

«Porque o Senhor Jacinto tinha na casa dele uma garrafa cheia de orelhas de pretos.»

«Pá», disse o Romeira Dois, «o miúdo está-te a gozar.»

Não foi preciso mais nada para o Romeira Chefe largar o caixote e correr a dar dois chutos no mentiroso de mau pêlo. Não foram lá muito fortes mas, fortes ou não, o outro esperneou a defender-se. Esperneou o Ruivo, soltou-se o cão e no meio da sarrafusca o Romeira Dois aproveitou para deitar a mão ao Mabeco. Pôs-se a correr à roda com ele, girando um braço por cima da cabeça:

«Pápápá... brep-brep... Chegou o helicóptero. Brep--brep-brep. Chegou o helicóptero. Ao ataque!»

O irmão, guerra é guerra, não quis saber mais do Ruivo e começou a dar ordens e a comunicar com as nuvens: «Voa mais alto para não bateres no caixote! Mais alto! Mais para a esquerda! Alô? Alô, alô? Diz alô, pá.»

O Romeira Dois: «Alô.»

Romeira Um: «Faz favor de dizer onde está o inimigo que é para a gente atacar. Alô? (Para o irmão: Inimigo na gruta dos leões.)»

Romeira Dois: «Inimigo na gruta dos leões.»

Romeira Um: «Quantos quilómetros? Favor dizer quantos quilómetros! Pi-pi-pi-pi...»

Romeira Dois: «Duzentos quilómetros.»

Romeira Um: «É muito, diz antes vinte...»

Romeira Dois: «Vinte quilómetros. A floresta está cheia de cobras.»

Romeira Um: «As cobras que se lixem, vamos já atacar. Ao ataaaaaque!»

O DESERTOR

Primeiro acto de deserção
na coluna dos Vingadores.
Deixam o rebelde a apodrecer na floresta.

Os irmãos Romeira ainda tentaram convencê-lo com promessas e ameaças. Badalaram-no, conversaram-no, passes pelo direito e pelo torto. Impossível. O Ruivo tinha embezerrado, não reinava mais aos Vingadores. Ah, ele é isso?, assoprou-lhe nas ventas o Romeira Um – e, toma lá, deu-lhe tamanho puxão ao boné que o deixou sem olhos e sem orelhas. Ah, ele é isso?, assoprou-lhe a seguir o Romeira Dois – e, toma lá destas, levou-lhe o Mabeco. Abandonaram-no, como se faz aos traidores, e para despedida chamaram-lhe cagufas e Estás-a-Arder, que era a alcunha do Ruivo nas horas de azar.

Por terra, contra o tronco duma mimosa, o moço era um guerreiro desprezado. Ruivo sobre o verde da folhagem e do casacão camuflado; uma espiga de trigo esquecida na cor do prado. Bezerro teimoso; embezerrado; ainda por cima às escuras, de olhos tapados. Que pior se pode dizer dele, se não é indiscrição?

Tirou o boné militar: o cabelo saltou-lhe em labareda, direito aos céus. Depois, nada; o Estás-a-Arder ficou sem fazer nada e para esquecer as desgraças pôs-se a brincar com a fisga que trazia no bolso. Esticou os elásticos, correu os dedos pelo garfo de madeira (como quem diz, pela culatra) afagando-lhe os nós, sentindo-lhe o toque macio. Seguidamente fez pontaria a uma raiz que corria pelo chão fora: onde viu raiz pensou em cobra, foi o que foi. Havia outras maiores, jibóias até, raízes poderosas a rastejarem para fora das grutas formadas por troncos cruzados de mimosas.

Uma dessas grutas, mesmo à frente dele, podia muito bem servir para toca de guerrilheiros. Do sítio em que se encontrava distinguia um farrapo de jornal e qualquer coisa como uma embalagem de plástico esmagada no chão. Haveria também pontas de cigarro, era sabido, e tudo isso somado dava uma toca, abrigo de gente. Um lugar de primeiríssima para um inimigo descansar ou tratar das feridas e ficar nas calmas, à coca. Fez pontaria para lá.

Batendo a floresta, o lendário capitão Raio aparece onde não é esperado.

A pedra enfiou na gruta a toda a mecha, bateu de ramo em ramo e, apesar de tão pequena, levantou uma chuva de folhas nunca vista. Dessa confusão de verde quem é que havia de saltar cá para fora? O comandante Raio, nem mais. Era ele, estava-se mesmo a ver. Embora nunca na vida lhe tivesse posto os faróis em cima, o Ruivo sabia que tinha à sua frente o célebre capitão Raio, comandante dos comandos.

Vinha enorme, G-3 ao alto, dedo no gatilho. Avançava em passos de orangotango como é próprio dum comando a marchar, cada passo um golpe de sombra, cada passo o vulto a crescer sobre o puto de mau pêlo que estava sentado no chão, apardalado. Cobriu-o com a sua presença e o seu cheiro, que era de pólvora azeda.

«Com que então tu é que és o Ruivo?», disse, muito sério. Mastigava pastilha elástica, por baixo do olhar de pedra.

O Ruivo de Mau Pêlo ficou sem pinga de sangue. Não se atrevia a abrir a boca, é o atreves.

«Pois muito bem», tornou o comandante capitão comando. Estava sempre voltado numa certa direcção, como se falasse para além daquele lugar e daquela hora. Até a voz parecia que não tinha nada a ver com o corpo dele, ia a direito. Mas, reparou o Ruivo, cheirava a pólvora que tresandava; a voz deitava um bafo capaz de tombar um elefante. «Muito bem. Pois, muito bem...»

Coisa curiosa: embora enorme e capitão, o homem não tinha um pêlo de barba nem uma ruga. Quem o visse diria que ele atravessava a guerra e o tempo como se nada o tocasse. E se calhar atravessava. O Ruivo já tinha ouvido contar que não respeitava nem o medo nem a morte (mandava os generais à merda, e tudo) mas nunca o imaginara assim, tão por cima e tão cruel no seu rosto de menino. Agora tinha-o bem à frente e bem no alto, a mascar pastilha elástica e a repetir: «Muito bem... Pois, muito bem...» E fazia balões com a boca.

Quando estava precisamente de balão a inchar, pôs-se de repente muito quieto. Quietinho que nem um crocodilo à espera. Depois sorriu lá para com ele e de surpresa rodou sobre si mesmo, para descobrir qualquer inimigo que o estivesse a espiar. Não havia nenhum, felizmente. Assoprou com desprezo e, PUM, o balão rebentou.

Isto passava-se de manhã, como se sabe, mas a luz tinha baixado rapidamente com a chegada do capitão Intocável. Talvez ele trouxesse uma nuvem a cobri-lo pelo caminho ou talvez fosse ele próprio que, tão enorme, toldasse tudo onde chegava. De qualquer maneira era assim, e não havia nada a fazer.

AS ORELHAS DO DIABO

Portugueses!
brada o capitão Raio, o Intocável,
para anunciar o segredo da coragem.
A palavra fica no ar, numa nuvem de pólvora.

Mas primeiro o capitão aproximou-se do caixote e pôs-se a olhar o Ruivo de Mau Pêlo.

«Já sabes, não sabes?», perguntou-lhe. Atirou tamanha palmada nas tábuas que fez saltar o molho de negros que estava lá dentro. «Não apodrecem, estão conservados em sal.»

O miúdo receou que ele abrisse o caixote porque se lembrou das histórias dos madeireiros e dos comerciantes do mato em que apareciam negros de tripas ao sol, salgados vivos.

«Fala, pá», disse o comandante Raio. «Um português nunca tem medo.» Tornou a fazer um balão de pastilha elástica. Disparou: PUM!

Tinha-se encostado ao caixote dos sete cadeados com todo o à-vontade de quem manda parar a guerra quando lhe dá na gana para fumar o seu cigarrinho ou para mastigar pastilhas piratas, soltando balões em conversa de banda desenhada.

O Ruivo ouviu nova palmada no caixote dos pretos. Era ele a chamar-lhe a atenção.

«Sabes o que é isto? Um presente. Veio de Angola para oferecer aos macacos de Lisboa.» O balãozinho branco começou a crescer-lhe entre os dentes. PUM! «Percebeste?»

A voz neste ponto já não era propriamente a dele, capitão comandante comando. Vinha de facto escrita num balão de pastilha elástica e cheirava a pólvora e tudo, mas o garoto achou que repetia os ditos do Bar Quibala e dos vizinhos refugiados.

«Agora vou-te dizer uma coisa», continuou o capitão Intocável. «Tu é que tinhas razão. Estes turras (palmada no caixote) são realmente pretos duma orelha só.»

O Ruivo caiu o que se chama das nuvens. Nunca lhe passara pela cabeça que tivesse acertado naquilo que dissera aos irmãos Romeira.

«Tinhas razão porque, fica sabendo, há medalhas e medalhas. Queres ver?»

Em duas pernadas de orango-comando-tango, o capitão comandante pôs-se à frente do garoto e mostrou-lhe uma orelha ressequida pendurada no blusão de combate. O Ruivo desviou os olhos, engoliu em seco. Mas mais acima, à volta do pescoço, havia um colar de peles murchas enfiadas num fio de cobre. Orelhas? Eram tão pequeninas e tão mirradas que ninguém diria.

Não precisou de olhar muito porque o capitão parece que lhe leu os pensamentos:

«Sim. Tudo isso são medalhas de guerra, cada orelha vale um turra. Trago-as comigo para condecorar os meus homens mais valentes.»

E palavras não eram ditas saiu-lhe um balão da boca, a inchar, a inchar. Cresceu tanto que o levou pelos ares, mata fora, direito ao mar.

A REUNIÃO DAS DONAS

Vê-se no centro da sala
uma senhora respeitável
ao lado dum dente de elefante.

A mãe-viúva, que trazia a Celeste pela mão, a qual por sua vez trazia a Làlinha, foi bater à porta duma vizinha para lhe pedir que a deixasse coser à máquina umas coisinhas. Tratava-se muito simplesmente da bata que a sua filha iria estrear no dia da escola. «Ora essa, faça favor de entrar», disse a vizinha.

A mãe-viúva chegou com a sua comitiva a uma sala de jantar onde havia uma rede para a sossega pendurada no tecto e, sentada nela, a tal matrona respeitável apoiada no dente de elefante. Vestia igualmente de negro, mas não por luto: apenas por promessa à Senhora do Ó, padroeira de toda a mãe que quer filhos e não nos tem.

«Dona Natividade, mais uma chavenazinha de chá?»

Dona Natividade (Natividade era o nome da respeitável) estava cercada de retorcidos de pau-santo e de almofadinhas bordadas a missanga em mosaico de paciência. Viam-se zagaias, bastões gungunhana e outras armas de tanga e pé descalço a enfeitar a sala; por trás da porta havia um lagarto embalsamado, trepando pela parede.

«Mais uma chavenazinha, Dona Natividade», tornou a oferecer a Dona da casa. E para a visitante: «Também toma, não toma?»

«Oh, não se incomode», respondeu a mãe-viúva. Sentou-se à máquina de costura e pôs-se, trecoteco, a pedalar.

Da mãe-viúva a Dona da casa passou à criancinha. Abriu com dedos de dama uma lata de estimação: «Tu gostas de biscoitos, minha menina?»

«Oh», disse a mãe. «Ela ainda agora almoçou.»

«Ora, um biscoito não faz mal nenhum. E estes são caseiros, podem-se comer à vontade. Tira, minha menina.»

A mãe, vendo a filha encalhada à vista da areia doce, deu-lhe licença para se servir: «Só um», recomendou. E depois: «Que é que se diz?»

«Tòbrigada», rosnou a Celeste, toda metida para dentro. Já tinha notado que a matrona Natividade não tirava os olhos de cima dela e isto de uma mãe sem filhos lançar um olhar cismado a uma criança tinha com certeza os seus quês.

«Lá no Malanje usávamos muito o azeite dendém em certos bolos», contou a Dona da casa. «Ficavam uma delícia.»

A cabecinha da Dona Natividade pôs-se a dar a dar, como quem diz: faço ideia, faço.

«Nesse tempo», continuou a Dona da casa, «no tempo da nossa fazenda, ai, ai, o meu Soares não dispensava o dendém. Ainda hoje fala nisso, coitadinho.» Estava de frente para a janela, na direcção de Malanje, Angola. «Mas também sou franca: para mim o que mais falta me faz ainda é a papaia. Não da grande, da verdinha que deita aquele perfume.»

«Sei muito bem», concordou a mãe sem filhos, com o olhar pendurado na pequenita. «Dona Lídia...»

«Que é, Dona Natividade?»
«E aquele melaço que a gente lá comia?»
«O próprio café, Dona Natividade. Há lá café que se compare ao angolano.»
«O mel, Dona Lídia. Só aquela cor lourinha, Dona Lídia.»
«As tâmaras. Tão amarelas, tão docinhas.»
«Refiro-me ao mel, Dona Lídia. Havia um que vinha do jasmim, recorda-se?»
«Se recordo», suspirou a Dona da casa, voltada para Malanje, Angola.
Pegavam nas chávenas, de dedo espetado, e bebiam fazendo boquinhas em cu de pomba, cada golo sua sentença. Estavam sobrevoadas por palavras: Mel, Malanje, Dendém, Criados.

A MARCHA CONTRA OS RATOS VOADORES

Ao pôr do Sol, entre Malanje
e a Dona da casa, passam duas botas
na janela a cavalo numas andas.
Penas soltas, de pássaros fugindo.

Era um miúdo em pontas de pau, a avançar ao longo dos telhados e das chaminés. Um dos Romeiras, já se sabe, e ainda por cima o pior, desta vez empunhando uma cana contra um inimigo cego e todo noite: morcegos. (Morcego, morcego, vem à cana, que tem sebo!) Trazia atrás de si uma praga de índios reguilas, qual deles o mais gritador:
«Truz-truz, avestruz! Dá um peido e apaga a luz!»
Parecia uma invasão, uma marcha rebelde a caminho dos morcegos que àquela hora começavam a acordar nas tocas da floresta. A rua ficou virada do avesso: cachorros

a protestar, galinhas de cabecinha sim-sim a fugirem esparvoadas, latas a bater, palmadas nos carros, o fim da macacada. Dentro dum automóvel a meia música, um parzinho de namoro levantou a cabeça e, quando muito, percebeu que ainda era dia; os gatos de telhado desceram à terra e apagaram-se num sopro; palmas e risos; um desmanchar, um desperdício, oh Romeira das alturas.

Truz-truz, avestruz, o puto Romeira, armado em espantalho, cana no ar, marchava pela rua fora com todo o cortejo a mirar-lhe as canelas... Ia tu cá tu lá com as chaminés e os paus de fio; dele para cima só as nuvens.

Este puto pernalta e os miúdos que o acompanhavam tinham magicado que os morcegos eram ratazanas voadoras acabadas de nascer e com os olhos ainda fechados; depois, com o andar dos tempos (diziam) acabavam por se transformar nos gigantes pássaros com dentes que aparecem nos álbuns do princípio do Mundo e era preciso acabar com essa raça antes que fosse tarde. Iam, portanto. Iam ao encontro dos monstros do passado-futuro, proclamando as trevas donde eles haviam de sair:

«Truz-truz, avestruz! Dá um peido e apaga a luz!»

Deixaram para trás a rua e os carros parados às portas, que eram vários e de muita história: cruzadores angolanos, matrículas de Moçambique, carrinhas para mato e deserto; havia o jeep da caça grossa e o latinhas para todo o serviço, e havia o tubarão americano manchado pelas sezões. A mulata à janela voltou para o espelho e o gato para o telhado. Em frente, índios! Em frente, malta de ferròbico, Romeira duma cana!

OH, AS CRIANÇAS!

diz uma das senhoras de África
num suspiro que ficou escrito no ar.

Quando o rapazinho-avestruz passou na janela e a Dona da casa foi ver, a Celeste também quis ir mas a mãe tirou-lhe daí o sentido. «Já para aqui!» E ela ficou, desasada, ao pé da máquina de costura que continuava a traquejar a todo o pano. Do lado de lá da vidraça acontecia mundo.

Mas a Dona Lídia a da casa, de costas para as visitas, não contava o que via, não explicava. Dentro da saleta não se ouvia senão o pano a pontear e enquanto a mãe-viúva costurava, a mulher à janela não se descosia, só olhava. Saiu-se, é certo, com a tal dita frase, oh, as crianças!, mas isso que é que adiantava?

Tanto podia ser um desabafo de desgosto como um perdoar das traquinices das pequenas criaturas – e quem não percebeu que percebesse, ficaram todos na mesma. A máquina não perdeu a pedalada e a matrona Natividade continuou à sombra do dente de elefante a atravessar a sala com o olhar pingado. Parecia um peru de Natal a adivinhar ceia triste. De tal maneira que quando a Dona da casa deixou a janela o olho mortiço não estremeceu, ficou igual, olho pensado. Esse escorrido da respeitável era mais bafiento que todos os lutos que ela trazia vestidos e não largava a pequena Celeste nem por mais uma. Chamava-a (era a ideia que dava) para dentro da barriga de mãe sem filhos, muito resignado, silencioso.

Celeste agarrou-se à mãe, queria dizer-lhe qualquer coisa.

«Que é?», perguntou-lhe a mãe. «Querias ir brincar?»

Resposta que não, com a cabeça.

«Queres ir para a avó?»

Novamente não, com a cabeça. E daí a nada a pequenita pendurava-se no ouvido da mãe a segredar. Bichanou na concha amiga um recadar comprido e complicado, com repetições para baixo e para cima, tudo muito assoprado e redito.

«És parva», disse-lhe a mãe para se ver livre dela. «Não me faltava mais nada senão fazer um bibe para a boneca.» Pela maneira como falou dirigiu-se mais às senhoras presentes do que à filha, e elas acharam graça.

«Como é que se chama a boneca?», perguntou a enlutada Dona Natividade em voz de passarinho tutinegro.

A Celeste escondeu a cara contra o pano que se amontoava em cima da máquina de costura: não estava para dar confiança ao olho mortiço.

«Então?», repreendeu-a a mãe. «É assim que se responde?»

«Oh, não faz mal», disse a Dona Natividade.

E a Dona da casa, para fazer conversa: «Se não tem nome tens que a baptizar.» (Aqui a dona matrona baixou os olhos.) «Não podes levar a boneca à escola se não for baptizada.»

«Chama-se Làlinha», disse a Celeste.

«Làlinha? E foi baptizada aqui ou em Angola?»

«Dona Lídia», cortou a mãe sem filhos. «Não diga essas coisas à criança.»

«É a brincar, Dona Natividade.»

«Embora, Dona Lídia, mas com a religião... Faço-me compreender?»

«Ela sabe. Ela é uma menina ajuizadinha e sabe muito bem que as bonecas não se podem baptizar. Não é verdade, minha pequenina? As bonecas não são filhas de Nosso Senhor como as pessoas.»

«Vão à escola», disse a Celeste.

«À escola? Fazer o quê, à escola?»

«Na escola em Luanda uma professora deixava as meninas brincarem com as bonecas e as meninas tinham que as esconder muito bem escondidas por causa daqueles rapazes que eram uns brutos e estavam sempre a levantar as saias às bonecas.»

A mãe teve um sorriso, mas disfarçou: «Pronto. Agora nunca mais se cala.»

«E tu queres levar a boneca quando fores para a escola?», tornou a Dona da casa.

Celeste fez que sim muitas vezes.

«E se lá não houver pretinhas, já pensaste? Sabes que aqui não é como em Angola, há poucos pretinhos.»

«É verdade!» Lembrou então a mãe sem filhos. «Dantes havia tantas bonecas de cor e de repente deixaram de se usar. Porque seria?»

Mas nesse momento entrou um besouro na sala e a Dona da casa bateu as palmas, encantada:

«É carta, é carta. Alguém nesta casa vai ter uma novidade.»

LÀLINHA PARA BAIXO,
LÀLINHA PARA CIMA

O Conselho das Donas reúne-se em folhetim,
à volta do chá e do biscoito.
Lá de tempos a tempos
o caso da boneca negra
salta para cima da mesa.

Celeste e a amiga do berço faziam um par muito especial. Sulcava aqueles dias de Verão à margem de toda a gente e a garota transportava a boneca como se embalasse a sua sombra pequenina. Se ia para a Ilha mostrava-lhe o mundo, se se fechavam no quarto o mundo era delas. Nas horas de pena e lágrima Celeste corria sempre para Làlinha a encostar o coração.

Tanta Làlinha já enjoava, dizia a mãe-viúva. Até no mercado, nas vezes em que levava a filha com ela, lá ia a boneca à pendura: Làlinha para baixo, atravessando hortaliças e peixe-prata; Làlinha para cima, a correr preços e a emendar pelo mais em conta. Jesus, queixava-se a mãe, onde é que isto ia parar? (Mas falava da vida, não da boneca.)

O pior é que o olho da Dona Natividade também andava, para baixo e para cima, atrás de Celeste e, portanto, atrás da Làlinha. E, pior ainda, era que na sua qualidade de respeitável tinha fama de ser a bondade em pessoa apesar de estar sempre a mandar bocas por silêncios e à meia frase. Ninguém lhe ouvia uma crítica fosse a quem fosse por causa da religião e porque andava a ver se convencia a Nossa Senhora do Ó a dar-lhe um filho, menino ou menina. Mas quando lhe convinha bastava pingar um olhar ou fechar-se no não dito para toda a gente se pôr a tecer enredos.

Uma ocasião estava ela a mastigar o silêncio nos biscoitos da vizinha, ouviram-na sair-se com esta: «Que pena aquela criança. Tão sossegadinha e tão agarrada àquilo...» E deixou o resto em letra-morta.

As sábias das amigas correram imediatamente ao engodo: «Também digo, Dona Natividade, também digo. Uma boneca tão desengraçada, não é?» E porque torna e porque deixa chegaram à conclusão que uma criança como a Celeste merecia um brinquedo mais próprio e que desse menos nas vistas. No seu modo de ver não fazia sentido uma boneca negra nas mãos duma inocente que acabava de fugir ao que lá ia, em África, e nesse ponto a mãe era a principal culpada. As mães, declararam, desconhecem muitas vezes a enorme responsabilidade que é educar um filho.

Pareciam formigas caseiras a puxar o grão de açúcar. Làlinha para baixo, Làlinha para cima.

O INIMIGO ESPREITA

Escorraçado do bando,
o Ruivo de Mau Pêlo
aparece a horas desencontradas
espalhando o terror e a vingança.

Lá vai Làlinha canela, duas pombas no ar. Era assim que ela cruzava aquele Verão dos desesperados quando, na espera duma esquina, lhe saltou o Ruivo à má fila. Cabelo em labareda, garra no vento, o pequeno diabo atirou-se à infeliz, mas Celeste não largou a Làlinha nem por mais uma. Esbracejou, viu-se arrastada, gritou, fez tudo. O malvado puxou, sacudiu, mordeu; criança e boneca andaram num remoinho até que apareceu gente crescida. Foi o que valeu. O ratazanas do Estás-Àrder, sumiu-se na ponta da gáspea, isto é, sem dar tempo a um pé de cumprimentar o outro.

Celeste apresentou-se em casa num mar de lágrimas. Quando lhe abriu a porta e deparou com aquele espectáculo, a avó, que adivinhava tudo, pôs-se logo a tratar da Làlinha. Com agulha e paciência foi cosendo e acertando e sempre com palavras para a neta, desgostosa de a ver sofrer: «Deixa, menina. Ainda vai ficar mais bonita, tu verás.»

Consolava a pequenita, como era seu dever, mas lá por dentro crescia-lhe uma destas raivas que nem queria pensar. Via o Ruivo aos pinotes, em cerco de lobo à sua netinha. O Ruivo Labareda, a subir por ela acima; o Ruivo, fisga à cinta, todo dentes; o Ruivo a estraçalhar uma boneca, e com que proveito, com que maldade? E por fim um corpo destroçado com uma pequena mão caída. «Paga-mas», ameaçava ela. «Veremos se não mas paga.»

Dos restos dum lençol talhou um vestido de ver aos anjos, dumas contas de missanga engenhou um colar nocturno. Mas no tesourar e no coser ia prometendo à Celeste: «Pelas Cinco Chagas que mas há-de pagar.»

Palavra prometida é devida, e a velha quando acabou a obra foi bater à porta da família Ruivo. Ia pedir contas à mãe do miúdo desalmado.

Bateu, tornou a bater: ninguém. A casa estava muda e a rua calada. Deixá-lo, resolveu a velha com os seus botões, ficaria para o dia seguinte.

Mas, como diz o Borda-d'Água, onde às vezes se cava a semente salta a unha do lacrau, e por essa não esperava ela. Ia já a caminho de casa e não é que ao dobrar da esquina dá de caras com o Ruivo? Verdade, o Ruivo. O próprio. Não se conteve, ferrou-lhe as unhas numa orelha.

Jesus, o que tu foste fazer. O mafarrico encabritou-se, abriu-se num berro que faiscou até às nuvens e voou atrás do berro, por cima dum muro.

O que foi naquela rua só visto. Gente à janela, o Mabeco a ladrar e o Ruivo em labareda atrás dum muro, a atirar fisgadas a uma velha. Choviam pedras saltava o cão dançava a velha na aflição. Os vizinhos despejavam sentenças; pendurados nas janelas.

Felizmente que apareceu uma alma caridosa para pôr respeito naquela rebaldaria toda. Chegou e apesar de ser recebida a calhau sibilante lançou-se ao valdevinos com uma dedicação que só podia comparar-se à dos apóstolos em cruzada. Perseguiu-o com ameaças, correu-o por becos e travessas até desaparecerem os dois na mata. Tratava-se dum benfeitor que além da paz e do respeito aos mais velhos gostava de fazer justiça pelas suas próprias mãos.

Simplesmente, o Ruivo Estás-Àrder era dos tais que vendem cara a pele quando a má sorte lhes toca as canelas. E vai daí aproveitou a confusão da mata para acertar dois ou três balázios na figura do perseguidor (o primeiro logo no sítio do juízo por cima duma sobrancelha) e com essa manobra corsária mudou a sorte da guerra. O benfeitor justiceiro passou à defensiva e ao conselho à distância, e da defensiva, nova táctica, ao vira-costas. Choviam calhaus como na Bíblia, e como na Bíblia a palavra dos justos nem sempre vencia a confusão. De forma que, alta noite, já toda a gente tinha esquecido a boneca e a derrota da velha, a mata ainda estremecia, percorrida por um mafarrico de fisga no ar atrás duma alma caridosa.

(Há quem diga que continuam por lá.)

ENQUANTO ISSO,
PELA CALADA DA NOITE...

A mãe-viúva e a sogra humilhada
discutem o destino da Làlinha.

A velhota quando chegou a casa calou-se muito bem calada e serviu o jantar à neta. O dela ficava para mais tarde, quando a nora voltasse de Lisboa com a bolsinha dos subsídios e dos biscates do dia. A essa hora já a Celeste, abraçada à Làlinha, andava na asa do lençol a viajar por outros planetas.

Mãe e sogra sentaram-se à mesa mas não tocaram no prato. Houve um segredar entre as duas, um conspirar à porta fechada que se alongou pela noite fora e chegou ao quarto do lado. Aí a Celeste sentou-se na cama: agora no lençol de pano, não de sonho. Seguidamente foi no pé ante pé espreitar à fechadura.

A mãe estava de frente, mais viúva do que nunca; a avó era um monte de escuridão, dobrada em cima do prato. Ouvia a nora a queixar-se das vizinhas, más-línguas e coisas do género, ouvia-a lamentar-se das vergonhas que era obrigada a passar e não dava troco, a velha. Depois a nora pôs-se a chorar baixinho:

«Mas porque é que vossemecê havia de trazer para cá esse maldito traste? Porquê, senhora?»

Celeste ficou com o coração num bago de susto: falavam da Làlinha e dos desastres que ela trazia.

«Eu escondo-a», disse então a velha. «Não a deites fora, que eu escondo-a.»

A mãe encolheu os ombros, tristemente: «Não vale de nada. Só acabando com ela, vossemecê não percebe?» Limpou as lágrimas ao lenço, com ele apertado na mão diante da boca.

«Escondo-a», repetiu a velha. «Verás como ela acaba por esquecê-la.»

Mas nada convencia a mãe-viúva, que sofria apertando o lenço das lágrimas. «Ainda se eu pudesse comprar-lhe uma nova», suspirava ela. «Mas onde vou eu arranjar dinheiro para uma boneca? Onde, senhora, vossemecê não me diz?»

Celeste não pôde ouvir mais, voltou para a cama a abraçar-se à Làlinha. Ficou de olhos abertos no escuro, coração a bater, até que veio o cansaço, a mão discreta do sono, e talvez uma voz consoladora a levá-la para muito longe.

O RAPTO TEVE LUGAR ÀS PRIMEIRAS HORAS DA MANHÃ

Ora bem (bem, não: mal), Celeste acordou com o quarto cheio de sol e sem a Làlinha a seu lado. Foi logo direita à sala onde as duas mulheres tinham passado a noite a conspirar, mas de gente nem sombra, só luz.

Descalça e na sua camisa de dormir, pôs-se a bater tudo de ponta a ponta. Subia a cadeiras, espreitava recantos, metia a mão. Corria mundos e fundos e para onde se voltava só via silêncio. De desespero em desespero achou-se na rua, vá lá saber-se porquê. Àquela hora já a mãe correria meia Lisboa a abelhar pelas repartições do Estado e a avó, essa, andaria fugida por aí, perseguida pelo remorso. Fosse como fosse, Celeste apontou para a mata, que era o sítio que mais a ligava à lembrança da Làlinha.

Andou, como se diz, ao deus-dará e não-dará, entre a folha verde e a saudade, criatura despassarada. Estava tão vencida, tão só com ela, que tinha de fazer força para acreditar na desgraça que acabava de lhe suceder. E, por vencida, quando se viu diante do Bar Quibala não pôde mais, sentou-se num caixote de cervejas. O bar estava fechado porque ainda não eram horas para decilitrar a bisca lambida mas na ausência do dono da loja apareceu-lhe o corvo Vicente. Saltou do telhado de zinco com um bater de asas pesado para lembrar que, respeitinho, estava ali. A seguir, bico altaneiro, ar desinteressado, pôs-se a passear com um olho cínico, à sua maneira muito dele. De tempos a tempos parava como se estivesse a escutar coisas de longe – mas era conversa: tudo para fazer tempo, mostrar serviço.

Estava, pois, a Celeste à vista do corvo quando uma nuvem negra desceu sobre ela e lhe tocou a cabeça. Ouviu uma voz que dizia: Celeste, minha pequenina, acaba os teus padecimentos que a Làlinha está salva.

Celeste levanta o rosto
e vê que a voz saía de entre panos de luto
e terminava numa mão descarnada.
Era a avó.

Avó e neta deixaram a mata e na primeira tenda que encontraram a velha comprou rebuçados e uma couve para a ceia. Assim, de rosa verde, gigante, atravessaram as duas o bairro e foram à presença da Làlinha.

Entraram pelas traseiras da casa e foram ao quarto da velha onde havia uma arca de pau-bronze que era onde ela guardava as suas coisas. A tampa saltou: tinha uma data de maçãs ao de cima. «Muito segredo», avisou a velha antes de tocar lá dentro. E a Celeste ficou-se a seguir a mão dela, mão feiticeira, a mergulhar em tralhas e maralhas, áfricas e outros tempos. Escorreram cristais, missangas, soltaram-se figuras de santos mártires em papel gótico, benzido, rendas virgens, indulgências – a arca cheirava a maçãs por cima e a incenso por baixo. E de repente apareceu a Làlinha e aqui estou, disse ela.

Imagine-se a alegria da pequena. A velha, não menos contente, pôs-se a fazer recomendações (Neta, toma bem sentido...) explicando que dali para o futuro só podia brincar com a boneca dentro de casa e nas horas em que a mãe andasse nos seus trabalhos de ocasião ou à procura dos subsídios para a família. «Prometes?», perguntou-lhe ela. Como resposta a Celeste abraçou a avó com tanta força que por pouco não foram parar as duas dentro da arca.

Fechada entre quatro paredes, no quarto, na sala ou na cozinha, Celeste perseguia moscas para a Làlinha ver, saltava à corda só para ela, inventava passeios e dias de escola – essas coisas. Também fazia de mãe à cabeceira da doente e brincava ao pé-coxinho e ao avião, e uma vez por outra levava-a a espreitar à janela. Mas só de fugida por causa do

Ruivo e dos manos Romeira que, sendo gémeos, parecia que se multiplicavam pela mata e eram figuras de espelho: sempre iguais, a repetirem-se. Finalmente, para contentar a boneca falava-lhe em tempos melhores que haviam de vir quando pudessem brincar à porta aberta. Dizia-lhe: Qualquer dia, Làlinha. Esses rapazes qualquer dia vão todos presos pelos polícias da mota ou então ficam na escola de castigo e a gente já pode voltar para a Ilha porque não há lá ninguém, nem meninos nem crescidos e só está o corvo mas eu a esse amando-lhe uma pedra. Qualquer dia, Làlinha, é já qualquer dia. Lá vai uma, lá vão duas, três pombinhas a voar... No traço do anoitecer, que era quando a mãe entrava em casa, Celeste ia pôr a boneca na arca. Depois, sozinha na cama, enquanto o dedo do joão-pestana não lhe vinha fechar os olhos, punha-se a imaginar como estaria a Làlinha, deitada no perfume das maçãs e das rendas virgens. Lembrava-se dos santos mártires que dormiam o sono eterno, estendidos sobre folhinhas de papel beijado, o Cavaleiro que trespassava o dragão, a Imaculada erguida num novelo de cobras, o Barbaças de livro aberto diante duma caveira, o Pregador louro com o peito trespassado de setas. Eram terríveis, pensava a Celeste. Receava que durante a noite abandonassem os túmulos e fossem debruçar-se sobre a Làlinha adormecida.

A INVASÃO DOS MONSTROS MARINHOS

Centenas de seres estranhos
desembarcaram na Ilha das Mimosas. Stop.
Desprovidos de olhos
mas carregados de electricidade. Stop.

Por volta das oito, oito e meia, um quarto para as dez, hora local, os Vingadores acabavam de atingir a praia em missão de reconhecimento quando depararam com as estranhas criaturas.

O Ruivo-Estás-Àrder tinha voltado ao bando nesse dia (ia de pêlo baixo, mansíssimo – por enquanto) mas, não falando já no Ruivo, o que chamava a atenção no destacamento era um novo Vingador conhecido por menino Rato Micas e a esse só lhe faltava o fato à maruja para caber numa fotografia de domingo. Era filho duma professora mulata e dum madeireiro de Cabinda.

Há muito que os gémeos Romeira andavam à procura de alguém que quisesse fazer de preto guerrilha, já que nenhum do bando podia ser: o Romeira Um porque era chefe, o Romeira Dois porque era irmão e o Ruivo porque tinha mau perder e estava sempre a levantar cabelo: à mais pequena coisa desertava. Grande gaita. Assim ninguém podia reinar às guerras do mato como devia ser.

Vai daí lembraram-se do chamado Rato Micas. Estudaram muito bem a forma de o convencer, prometendo-lhe que umas vezes fazia de preto turra, terrorista-chefe, outras vezes de branco Vingador. Era mulato, dava para os dois. E com meia dúzia de cigarros mata-ratos e uma esferográfica (que é como se engatam os pretos que não sabem escrever) acabaram por levá-lo na curva.

Todos os presentes, coluna de marcha, os Vingadores chegaram à costa às tantas da manhã, pelo lado das dunas. À vista do areal ficaram estarrecidos: estava cheio de alforrecas trazidas pela corrente, centenas de discos navegadores espapaçados ao sol.

«S. O. S. Monstros à vista!», anunciou o Romeira Dois.

«A eles!», berrou logo o irmão, Romeira Chefe.

E como Vingador que nada teme nunca ouve duas vezes, entraram todos a matar e foi dar até vir a mulher da fava-rica. Bateram, desfizeram à patada, esquartejaram com canas de lança – uma chacina das antigas. Em menos dum fósforo a praia ficou resumida a um deserto de cadáveres. Eram umas criaturas repelentes, cegas e silenciosas; algumas estavam distantes do mar, espalmadas na cor da areia, e tanto pior – pensaram os Vingadores –, isso significava que rastejavam para terra, camufladas. Porrada a dobrar, portanto.

O REGRESSO
DO CAPITÃO INTOCÁVEL

Penetrando na floresta,
o bando reúne-se numa clareira.

Segue a estória, segue a estória, e aqui muita atenção porque volta a aparecer o capitão Raio, constelado de medalhas e de cicatrizes.

Segue a estória: depois de terem deixado o areal coberto de corpos destroçados os Vingadores tornaram a subir às dunas, salpicadas de dentes, cardos secos, e internaram-se na mata.

Segue a estória: fizeram alto em certa e determinada clareira onde costumavam juntar-se para as batalhas. Por acaso chegava até ali um fio de música que vinha do Bar Quibala e quando o vento soprava a jeito ouviam-se mesmo as conversas dos jogadores que lá paravam e ainda bem que se ouviam porque nas barbas do cidadão é que se arma a melhor espionagem, e por conseguinte todos ao trabalho, ordenou o Romeira Um, e segue a estória.

Antes de mais nada começaram por tatuar os braços (à maneira dos soldados) com o bico da esferográfica. Ficou de fora o Rato Micas que ia fazer de preto-guerrilha como estava combinado e que já trazia uma cabeleira de algas penduradas nas orelhas. Todos os outros foram desenhando, um a um, caveiras, sereias, datas em coração e todo o manual da pele. Primeiro o Romeira Um para dar o exemplo e mostrar como era, e só depois é que seria a vez do Romeira Dois para confirmar. O Ruivo em últimos; e por isso enquanto esperava a vez dele subiu a um tronco rasteiro e contou como numa célebre noite de Angola viu o pai a conversar com o capitão Raio debaixo duma mulemba-mãe. O capitão Raio vinha enrolado em fitas de balas até aos dentes, informou.

«Sozinho?», perguntou o Romeira Chefe sem desviar a atenção da tatuagem-bic que estava a bordar.

«Sozinho. O meu pai falou com ele ao pé duma mulemba que havia na nossa lavra.»

«Já sei que foi na mulemba», disse o Romeira Chefe. «Segue a estória.»

«Tinha muitas costuras na cara», disse o Romeira Irmão, acompanhando o desenho do outro. «Tinha mais de cem costuras na cara e no corpo todo.»

«Tinha nada», disse o Ruivo. «Tu não estavas lá, eu é que vi.»

«Tinha pois.»

«Tinha nada. Palavra de Vingador.»

Os outros calaram-se e a estória seguiu. Estavam sentados no chão; com os olhos acompanhavam o bico da esferográfica, com os ouvidos na conversa entre o capitão Raio, comandante Intocável, e o colono Ruivo Pai. Era um medalhão ao luar, esse encontro dos dois homens à sombra duma mulemba maternal.

«Sukuamas, sukuamas», contava o Ruivo empoleirado na mimosa. «O capitão disse que os turras eram uns sacanas duns sukuamas e que iam ser todos enforcados pelas orelhas.»

«Pelas orelhas?», tornou o Romeira Dois.

«Pelas orelhas, pelas orelhas. Onde é que eu ia?»

«No Capitão a enforcar os turras», respondeu o puto Rato Micas.

«Pois... O Capitão disse que as orelhas dos turras são boas para matar leões porque têm matacanhas e os leões não sabem e comem-nas e depois vão morrer cheios de bichos para muito longe das pessoas.» O Ruivo falava de corrida, como quem despacha o facto histórico.

«E òspois?»

«Depois...» Aqui o Ruivo entupiu: tinha topado dois calmeirões a escutá-los à distância. Pôs-se de cabeça baixa como se estivesse à espera de ver nascer uma minhoca na ponta do dedo do pé.

«Òspois, pá?»

Os calmeirões usavam cabelos compridos e cinturões à cowboy; cada um tinha sua garrafa de cerveja pendurada nos dedos.

«O meu pai não quer que eu seja turra», murmurou o miúdo Rato Micas.

«Vai mas é à merda», respondeu-lhe o Romeira Chefe. E para o Ruivo: «Atão, pá?»

«Atão já era muito tarde...»

«Tarde?», disse o Romeira Dois. «Qual tarde, para o capitão Raio nunca era tarde.»

«Daquela vez era.» O Ruivo deitou um rabo de olho aos calmeirões: continuavam parados no meio da folhagem.

«O Capitão tinha sempre um helicóptero para chegar a toda a parte num instantinho.»

«Deixa falar o miúdo», gritou o Romeira Um, e o irmão calou-se.

«Daquela vez ele não trazia helicóptero nenhum, nem trazia jeep nem nada», resmungou o Ruivo. «Tinha era pressa para ir a um sítio qualquer ou não sei quê mas antes de se ir embora deu um porta-chaves ao meu pai.»

«Porta-chaves?»

«Feito com um dedo de macaco. De chimpanzé, quero eu dizer.» O Ruivo adivinhava os calmeirões a rirem-se por dentro e teve vontade de rir também. Mas não se desmanchou.

«Òspois?», tornou o Romeira Um, chato como a ferrugem. «Deu o porta-chaves e òspois?»

O Ruivo de Mau Pêlo pôs-se a abanar os ramos da mimosa. «Òspois, pá? Porta-chaves para quê?»

Nada. O Ruivo sacudia as folhas, sacudia. Até que, não podendo mais, deu um salto para o chão:

«Depois o Capitão disse que as miúdas dos turras eram todas umas putas porque tinham o mataco cheio de formigas.»

E fugiu para não o verem rir.

Os dois calmeirões desataram às gargalhadas e os Vingadores, apanhados de surpresa, ficaram a meia tatuagem, de boca aberta para eles. Foi assim.

O INIMIGO NÃO DORME

Primeiros avisos.

Làlinha era: de dia casa, à noite arca. A Celeste lá se aventurou a levá-la até aos vidros da janela, a princípio só de raspão, em visita de asa de mosca, e depois com mais demora, namorando a luz. Para se distraírem inventaram um jogo, muito só delas, chamado do Lá Vem Um, ou seja, se viam aparecer alguém na rua, lá vem um!, Làlinha para dentro, se o terreno estava livre, agora, agora!, Làlinha para a janela. Era pouco mais ou menos como nos teatros dos fantoches, uma boneca a aparecer e a desaparecer por trás duma parede. Só faltavam os diabos da cena, que varriam tudo à mocada, mas esses conheciam elas à distância: eram os gémeos mais o Ruivo, três velhacos duma só raça e todos eles Vingadores. Juntavam-se de mil maneiras e quando se juntavam era traço limpo, fechavam o jogo por todos os lados.

À janela, Celeste e Làlinha viam os dias, o céu cortado pelas andorinhas em rabo de tesoura e salpicado pelos pardais operários, sempre a aviar. Os gatos voavam sem rede, de telhado para telhado, e um girassol copiava o amarelo; lá no infinito passava um avião. A pouco e pouco, as duas foram ganhando à-vontade (as crianças têm destas coisas) e da janela atreveram-se a pisar o risco da porta, o degrau da rua. Mas sempre de pé no ar, sempre prontas a meterem-se para dentro, e mesmo assim só enquanto o entardecer não começava a carregar-se, anunciando a chegada do Romeira Pernas-Altas, sobrevoado de morcegos.

Uma manhã, estavam as duas na entreporta, quando a Celeste descobre alguém a espiá-las do outro lado da rua: o Rato Micas, o água-morna do Rato-Micas, escondido atrás dum jeep de caça. Escusado será dizer que a Celeste nem deu tempo ao susto, sumiu-se logo pela casa e só parou na cozinha, enfiada no avental da avó.

Passou o resto do dia fechada no quarto, a tremer junto da Làlinha. Brincou sem vontade, fez conversa; procurou esquecer e esqueceu mesmo, santa inocência. Mas, já mais sossegada, levantou os olhos e mesmo diante dela viu uma cara sardenta espalmada na vidraça. O Ruivo. Agora era o Ruivo. Outra corrida, outra vez para a cozinha, outra vez para o avental da avó – e a velha, desconcertada: «Mas que tens tu, menina?»

Palavras não eram ditas, um estrondo. Uma pedrada na porta da rua – primeiro aviso. Logo a seguir latas, assobios. Celeste pensou no regresso dos Romeiras. Já?, perguntou, toda encolhida.

Avó e neta esperaram o pior, nos fundos da casa. Mas, vá lá, o pior não veio, apenas chegou uma vizinha bisbilhoteira a pedir um raminho de salsa. Bateu à porta das traseiras e nem de propósito: ao entrar deu logo de caras com a Làlinha. «Oh», admirou-se ela. «Há que tempos que eu não via uma boneca preta.» E desandou, adeus vizinha.

ENTERRADA VIVA!

A velha, que tinha a boneca
e dentro da arca a tinha,
defende até à última o seu segredo.

Logo nessa noite – ou na noite seguinte, tanto faz – a mãe-viúva chegou mais cedo a casa e apanhou a Làlinha a escapar-se de aflição para debaixo da cama. Não se deu por achada, mas assim que a Celeste adormeceu, chamou a sogra para um particular à parte na sala das conspirações:

«A boneca, senhora.»

«Ora... Para que queres tu a boneca?»

«A boneca, já disse. Estou farta de andar nas bocas dos outros por causa desse traste.»

A velha protestou que era tudo invenções, passatempo de vizinhas. Cale-se, disse a nora, sei muito bem. Sabes tal, disse a velha. Sei, disse a nora, parece impossível, uma mulher da sua idade. E palavra puxa palavra.

Mas a mãe-viúva, que não era pessoa de olho esquecido, pôs ponto final quando menos se esperava. Foi-se ao quarto do lado, estendeu o braço por baixo da cama e, resultado, na manhã seguinte ela aí ia com a boneca embrulhada num jornal a caminho do adeus.

Simplesmente, a velha também não se deixava vencer assim às primeiras e com isso não contava a mãe-viúva. «Tate», tinha pensado a velha, e no dia seguinte, ao romper do Sol, metia-se em pezinhos de lã e com paragens à esquina e recuos à meia volta ia na pegada da nora. O caminho era o do costume, da casa para o autocarro de Lisboa, mas à entrada da mata viu-a desviar-se para uma esterqueira que havia à beira da estrada. Embandeirada em negro, a mãe-viúva desceu à flor do entulho, perdeu-se vagamente numa confusão de restos e sucatas; pouco depois ia já de volta para o apeadeiro, a sacudir-se. Jesus, a velha sentiu duas badaladas e um balde de cal a tombarem dentro dela. Adeus, Làlinha, que já te deitaram aos bichos...

Mas continuou à espreita, deu tempo ao tempo que é uma coisa que os velhos sabem de cor. Escondida numa árvore baixa esperou que viesse o autocarro e quando a nora ainda mal tinha posto o pé na viagem, já ela voava de braços estendidos para a Làlinha que estava na terra da verdade. Mergulhou na vala do desprezo e do podre comum, revolveu cheiros e bichos moles porque na ideia dela a boneca devia estar coberta e bem coberta, apagada da face do mundo.

Remexeu com unhas e olhinhos, rezou responsos de procurar. O sol começou a aquecer ferozmente e com o sol caíram-lhe em cima os mosquitos, ao mesmo tempo que os cheiros, assanhados, lhe subiam pelas pernas acima. Defendeu-se cobrindo a cara com o lenço da cabeça e, velha duma figa, em vez de esmorecer ainda esbravejava mais na confusão da esterqueira. Todo o seu receio era que alguém viesse para ali fazer-lhe perguntas ou que o arganaz do Ruivo aparecesse e desconfiasse. O certo é que tanto mexeu, tanto minhocou, que descobriu a Làlinha e correu com ela para casa, escondida no avental.

Tinha mil anos e mil astúcias, a velha. A questão estava em saber-se ler-lhe as rugas todas.

Celeste chora à boca da arca
quando lhe chega uma voz reveladora.

A voz era a mesma da outra vez, na mata.

Celeste estava sentada no sobrado, rodeada de maçãs e de imagens de santos: o das setas, a imaculada das serpentes, o herói do dragão e o barbaças que lia pelos buracos duma caveira. Chegou a voz e disse: «Não te apoquentes, a tua Làlinha está salva!»

SAAALVA! A palavra explodiu numa nuvem estrelada. A pequenita voltou-se e viu por entre o espelho das lágrimas o vulto da velha a ondular, a ondular – e junto dela a boneca. Quis logo pegar-lhe mas a avó não lhe deu tempo, levou-a para um alguidar de águas mansas e transparentes que havia na cozinha.

Foi lá que as mãos da velha mergulharam o corpo da Làlinha, libertando-o dos restos de morte que o cobriam. Depois as mesmas mãos começaram a passá-lo a espuma e limão, e a corrê-lo por muitas águas pensadas porque a mulherzinha, enquanto lavava, não parava de estudar o destino que iria dar a uma boneca assim, tão perseguida. Era preciso, pensava, que a nora a julgasse enterrada para sempre. Preciso, dizia, que se pusesse uma cruz sobre o nome da Làlinha. Escondê-la em casa não convinha porque o diabo tece-as e há segredos que são de abelha, e de abelha no favo se possível. Levar a boneca para longe, também não: muito arriscado. Os acasos, os roubos – tudo isso. Por outro lado, como explicar a uma criança, mesmo a uma criança tão entendida como a Celeste, as razões de tanta perseguição? Ai, ai, suspirou a velha. Celeste mal respirava, só via.

Avó e neta foram deitar a Làlinha porque devia estar cansada da aventura sofrida. «Neta, temos de a levar daqui para fora», disse a velha, e tão baixinho que era como se estivesse a velar o sono de alguém. E a pequenita, para seu espanto, compreendeu. Ficou sozinha à cabeceira da boneca, sentada à meia luz e com o coração dum relógio, ali perto, a contar o silêncio. Havia a eterna varejeira na vidraça e um nó de dúvida começou a apertar lentamente o peito da Celeste. A apertar, a apertar. Tiquetaque, tiquetaque.

Mas acontece que, se a neta velava, a avó traquinava. Corria o alpendre das traseiras, o tanque de lavar e a casota dos coelhos; sondava recantos e buracos com os olhos de andorinha viageira. «Não», resmungava ela. Dava voltas e mais voltas à sua imaginação mas acabava sempre diante da coelheira onde estava um orelhudo solitário sentado numa folha de couve. Era um coelho viúvo, desconfiado como poucos e sempre a tremer o nariz como se cheirasse a desgraça no vento. Chamava-se Moisés.

A velha afastou-o com um braço para alcançar uma toca que havia lá no fundo, por trás dele. Tirou caganitas, contas duras de muita mastigação no seco, trouxe palhas e pêlos de ninho; por fim chamou a neta. Era ali que a Làlinha ia passar a dormir dentro dum saco de plástico. Precisamente na mesma cama onde uma falecida coelha tinha criado ninhadas de filhos, sonhando com riachos e pradarias.

ZABEL, A LOURA

A mãe regressa a casa no autocarro
mas dessa vez traz companhia.
Vem com ela, Isabel, a Loura

«Gostas?», perguntou à filha. «Agora estima-a bem e não a sujes.»

A velha, com aquele seu dedo adivinhador que ia até ao sopro das nuvens, a velha já esperava por uma Isabel mais dia, menos dia. Zabel, Nené, Tuchinha ou qualquer outro nome de boneca, embora esta ficasse Zabel.

«Porquê Zabel?», perguntaram à Celeste.

«Porque sim», respondeu ela.

E a avó: «Diz bem com ela, diz.»

Apesar de esperar uma nova boneca, a velha, ao ver aquela figurinha de Natal ficou enternecida. Parecia um encanto dos anjos, só lhe faltava falar; ainda por cima vinha em folhos de renda, sapatos de verniz. Mais uma razão, lembrou a mãe-viúva, para não ser tratada como a outra que, coitadinha, não tinha ponta por onde se pegasse.

Zabel abria e fechava os olhos dentro duma caixa de papelão.

Dali em diante era sabido: a mãe a sair de casa e a Celeste a correr para a coelheira. Primeiro certificava-se se havia qualquer curioso ou faz-nenhum nas redondezas, e em especial os putos Vingadores: nesses é que nunca fiando. Eram capazes de fintar o próprio vento, dizia a avó, pois além de ronha e ranho, tinham sete fôlegos de corrida e tão depressa apareciam a norte como a sul, como por fora do mapa; tão depressa eram cowboys a cavalo duma cana como diabos do volante roncando à goela larga. Por conseguinte, Celeste, minha menina, olho vivo e orelha fina senão perdes a Làlinha.

Celeste sabia, olha quem. Com todas as cautelas e mais algumas ia à toca da boneca guardada pelo coelho Moisés que não parava de dar à bochecha e lá do fundo saía a Làlinha, aberta para o amanhecer.

Manalalinha e Manazabel eram unidas e irmãs como a noite é do dia. Sol e lua, ouro e canela – era assim. E nesta amizade corria o tempo. Encontravam-se à porta fechada enquanto o mundo lá fora andava povoado por gatos voadores, putos pernaltas e malta de ferra o bico numa feira de salve-se quem puder.

Naturalmente, com o andar dos tempos os vizinhos e os Vingadores esqueceram-se da boneca preta, e era o que a pequena queria. Passeava a Manazabel, mostrava-a o mais que podia e por onde jardinava floriam os parabéns pelo bonito par que elas eram. Só uma vez é que o meia-leca do Rato Micas teve o descaramento de lhe tirar a língua e de vir atrás dela a chatear:

«Bem feito, levaram-te a mona preta! Bem feito!»

Nem lhe deu troco. Continuou aos pulinhos para casa, pé-coxinho aqui, giroflé acolá, rindo para a Zabel e pensando na Làlinha.

O ENVIADO DO DIABO

Traz as «Memórias de Lesbos»,
obra histórica e actual!
Almanaques, Revistas & Fotonovelas!
«O Dossier Cocaína» e «O Mistério
e as Perversões Sexuais», do Dr. Morandi!
Leituras para Maiores! Horóscopos
e Passatempos Infantis!

De longe em longe aparecia pelo bairro um vendedor das chamadas leituras à meia luz, numa furgoneta a todo o vapor. Chegava num vendaval de pó e de música e dizia-se que vinha da praia, desiludido dos veraneantes. Se calhar era por isso que entrava com aquele espavento invasor: para abafar o desgosto e possivelmente afugentar os credores.

Muito bem. A furgoneta parava, o nosso marchante punha o pé em terra e, livro nesta mão, revista na outra, armava a tenda em duas penadas. Dos dedos ilustrados de anéis e das pulseiras a tilintar voavam-lhe postais secretos e histórias aos quadradinhos, e era tudo música, alta luxúria, confusão. Juntava-se gente, espreitavam-se os livros pelo olho da alcova, mas o homem punha-se de parte, senhor da mercadoria e dos mistérios que ela guardava. Era como se tanto lhe desse. Só se preocupava em mudar discos e em polir os anéis no peito da camisa. Esfregava--os mesmo por baixo do bolsinho onde estava bordada a palavra

Johnny

e onde trazia uma cartucheira de canetas e lapiseiras a cintilar.

Logo às primeiras não era fácil calcular a idade deste cavalheiro errante. Metade da cara estava tapada com uns óculos (de aviador antigo) e a outra metade com uma barba de meio pêlo que não era negra nem cinza, antes pelo contrário. Usava sapatos de lona e fita prateada no chapéu com duas notas de quinhentos a enfeitar. Todo ele, idade e figura, se perdia no barulho das cores e dos brilhos que o envolviam: ouro nos dentes, anéis e cromados, unhas de verniz. A própria camisa era tão azul-eléctrica que enlouquecia os mosquitos.

Numa das visitas em que, vamos lá, o negócio não lhe correu mal de todo, o vendedor das leituras sentiu-se tão apertado com o calor que resolveu fechar a livralhada entre parênteses e foi espairecer para a mata. Já se via de papo para o ar à sombra duma mimosa mas ao passar pelo Bar Quibala deixou-se tentar e entrou. Dias não são dias e muito menos aquele que era o de São Nunca e que nem todos os anos entra no calendário do cidadão avulso. De maneira que: Uma cerveja.

Do lado de cá do balcão estava o gordo do costume, pendurado no charuto nevoento; do outro lado, o Fraca Figura que bem sabemos. Um pouco por toda a parte andava o corvo Vicente, a apanhar ar.

O Johnny ambulante, com o nome bordado no coração, perguntou aos ali presentes se eram servidos. Nenhum era. Em vistas disso bebeu mais uma cerveja à conta ou, antes, duas: uma por cada convidado porque tinha a mania da contabilidade. A seguir mandou vir outra para rebater e mais outra para aliviar e, no crescer da espuma, abriu o parágrafo declarando que se encontrava na nossa pátria por muita infelicidade dele, uma vez que tinha sido marinheiro e conhecia a costa da América desde o tufão ao iceberg. Se a santa velhinha o não tivesse chamado à hora da morte nunca teria encalhado na terra que o viu nascer. Ou ele não se chamasse Johnny, garantiu.

«O que tem de ser tem muita força», disse o gordo encharutado.

«E quando a moral se mete na pessoa, então é que não há nada a fazer. A moral dum filho, se é realmente moral», disse o Johnny português, «não olha a coisa nenhuma.» Apontou para o corvo Vicente: «Aquele animal come-se?»

O Fraca Figura ficou sem perceber se tinha ouvido bem. Olhou para o gordo e o gordo olhou para ele mas naquele instante entrou um preto muito catraio com uma caixa de engraxador debaixo do braço. Quase não deu palavra a ninguém porque foi logo agachar-se aos pés do encharutado e começou a dar à escova. Devia ser freguês certo, calculou o vendedor das leituras.

Escova que sacodes, paninho que espanejas, o homem estava de boca aberta com as habilidades do garoto. «Donde é ele?», perguntou ao gordo. «Angola?»

E o gordo, desinteressado:

«São Tomé.»

«Conheço mas passei de largo», disse o Johnny. «Tubarões por toda a parte. Que idade tens tu, rapaz?»

«Onze anos.»

O Johnny dos Sete Mares assoprou um sorriso desgostoso: «Onze anos.» Então contou que aos onze anos, na

América, toda a criança preta estava no liceu. «E ainda dizem que isto aqui não é África.»

O gordo concordou, com o charuto.

«África e bem África», voltou a dizer o Johnny. «Na América um preto pode ser rico, pobre, o que quiser. O Joe Louis, não vamos mais longe. Pode ser milionário, pode ser artista de cinema, pode ser músico, tudo. E aqui? Aqui a que é que esta criança está destinada? Casa Africana, e é um pau. Engraxador ou mascote da Casa Africana. E é preciso que haja vaga, ainda há mais essa.»

Enquanto o Johnny português falava para os dois homens do bar, o miúdo amochava no sapato do africanista. Estendia pomada, dava estalos com o pano para despertar o brilho, era um artista do cabedal apesar da sua pouca idade.

«Nesta nossa desgraçada terra não há meio de se convencerem que o preto é tão inteligente como nós, que se há-de fazer? Mais uma cerveja, tenha paciência.»

A partir desta bebida o Johnny português amandou-se todo para a frente num discurso que ainda era mais errante do que os icebergs que tinha conhecido e as leituras que andava a distribuir. «Quantas brancas», perguntava ele às consciências que o ouviam, «quantas brancas, é um exemplo, vê a gente casadas com pretos? Raríssimas. Nenhumas. E é um erro, caraças. Um erro porque assim nunca mais se produz a raça universal.»

No travo do arroto espalmou o peso dos anéis em cima do balcão e ficou-se a abanar a cabeça. Estava realmente desiludido com a estupidez do país.

«Ministros, ministros pretos, quantos ministros pretos tivemos nós na nossa história? Quantos juízes de cor? Quantos generais, quantos bispos, vamos lá? Eu sei, eu digo: nicles. Absolutamente nicles. Ao passo que na América houve de tudo. Senadores, banqueiros, ministros, tudo. Até presidentes pretos. Não me lembro em que época, mas houve.»

O pequeno engraxador tinha acabado, só esperava que o cliente do charuto lhe pagasse para se pôr a andar.

«E aqui é isto», dizia o Johnny, apontando para ele, com a voz já muito enrolada. «Miséria ou Casa Africana. Aqui quem nasce preto morre preto.»

O garoto recebeu o dinheiro e saiu sem fazer ondas. Mas assim que se apanhou na rua estendeu o pescoço para dentro do bar e gritou:

«Preta era a cona da tua mãe.»

E pernas para que vos quero.

REGRESSO EM PASO-DOBLE

Muito cedo, o vendedor das leituras acordou debaixo dum céu de folhas e de pássaros madrugadores. Estava estendido na mata, com os óculos de aviador antigo e o nome bordado no coração. A boca sabia-lhe a papéis de música, a língua estava seca, de cortiça. Água, foi a primeira coisa que lhe lembrou.

Saiu à procura da furgoneta, seu palácio e seu veleiro, mas em vez de meter a direito pela rua principal escolheu os caminhos das traseiras onde poderia encontrar uma bica ou um tanque de lavar. Não se enganou. Logo às primeiras casas começou a ver torneiras, todas iguais, mas houve uma que lhe chamou mais a atenção por estar mesmo ao alcance.

Bebeu no redondo da mão – não muito, não teve tempo, porque (quis o destino) enquanto bebia, os olhos foram-lhe dar com uma coelheira, a um canto. Lá dentro, atrás da rede, estavam duas orelhas de sentinela, que é como quem diz, o Moisés. Fez as contas: nada deste lado, tudo a dormir... nada do outro, terra vazia... sono e deserto, noves fora nada, era a hora – hora de ninguém, não havia que hesitar. Guardou a sede para outra altura, pensando com todos os seus anéis que a madrugada não é dos homens nem das corujas mas de quem se aventura, e lançou-se: aventura-te, Johnny. Custa, é triste, disse metendo a mão na coelheira, mas por alguma razão te puseram este malandreco no caminho. Ou não?

Se pela boca morre o peixe, os coelhos morrem pelas orelhas e em receita de esticão – é a sina. O Moisés esquivou-se, meteu-se pelas costuras da toca, mas qual toca, qual salvação. A luva dourada, luva de anéis, arrancou-o cá para fora aos estrebuchões. E como se isso não bastasse, ao perseguir o coelho tropeçou em qualquer coisa e trouxe também a Làlinha.

Dali até à furgoneta foi uma corrida de furão, passo miudinho na ponta dos pés para não levantar poeira nem ruído. Depois seria o regresso e, já que o destino assim quis, um bom tacho de coelho à caçadora a fumegar no meio da tarde.

Viagem rápida, Lisboa ficava já do lado de lá das colinas, à margem do rio-mar. O Johnny, mãos no volante, falava sozinho de contente, e de quando em quando deitava uma olhadela ao assento onde ia estendida a Làlinha, junto do coelho Moisés, seu guardião assassinado. Como boneca ninguém daria um tostão por ela e para mascote de automóvel era grande de mais. Só devolvendo-a, mas devolvê-la seria perigoso, pensou o Johnny, embora fosse isso que lhe mandasse o seu coração bordado. De resto, devolvê-la como?, perguntava ele. Há gestos que nem sempre são compreendidos, e por bem fazer mal haver. E visto que sabia muitíssimo bem que era homem de alma ambulante entre o prazer e o pecado, o Johnny das páginas secretas antes que o remorso viesse ter com ele decidiu espantá-lo para longe, abrindo a música aos quatro ventos. Um paso-doble.

Chegou portanto à vista da cidade imperial numa saudação de castanholas e olés, e ao atravessar a ponte estendeu o olhar pelas águas soberanas do rio. Rio Tejo, rio Tejo, pôs-se então a cantarolar, ai, rio da minha terra... E lançou a boneca pela janela. (Uma homenagem de marinheiro?)

Quer isto dizer que as águas do outrora Camões receberam a Làlinha no seu deslizar luminoso. E ela foi à flor da corrente, e passou torres e faróis, e mosteiros e padrões, e navegadores de bronze, heróis de pedra, memórias. Direita ao mar, aos oceanos.

Novembro de 1978